La sonrisa de la Gioconda

Autores Españoles e Iberoamericanos

La Fundación José Manuel Lara y
Editorial Planeta convocan el Premio de Novela
Fernando Lara, fiel al objetivo de Editorial
Planeta de estimular la creación literaria y
contribuir a su difusión

Esta novela obtuvo el IV Premio de Novela
Fernando Lara, concedido por el siguiente
jurado: José Manuel Lara Hernández,
Terenci Moix, Luis María Ansón,
Carlos Pujol, José Enrique Rosendo
y Manuel Lombardero

Luis Racionero

La sonrisa de la Gioconda

Memorias de Leonardo

Premio de Novela Fernando Lara
1999

PLANETA

Córcega, 273-279, 08008 Barcelona (España)

Realización de la sobrecubierta: Departamento de Diseño de Editorial Planeta

Ilustración de la sobrecubierta: detalle de «La Gioconda», de Leonardo da Vinci, Musée du Louvre, París (foto © J. Martín/L.A.R.A.)

Primera edición: octubre de 1999
Segunda edición: noviembre de 1999
Tercera edición: noviembre de 1999
Cuarta edición: noviembre de 1999
Quinta edición: diciembre de 1999

Depósito Legal: B. 48.519-1999

ISBN 84-08-03322-0

Composición: Foto Informática, S. A.

Impresión y encuadernación: Printer Industria Gráfica, S. A.

Printed in Spain - Impreso en España

Caro Francesco:

Las promesas engañan, el tiempo decepciona, la muerte burla los cuidados, las ansiedades de la vida son nada. ¿Para qué escribo entonces? Lo que pueda decirte sólo servirá cuando lo vivas tú mismo. He malgastado mis horas, ¿por qué no echar a perder las tuyas? Lo más difícil cuando se toma la pluma es convencerse de que merece la pena escribir. No estoy seguro. En este crepúsculo tan amable de Amboise pasaría mis horas solazándome entre música y luz, pero algo me incita a explicarme contigo, porque sé, aunque jamás me lo hayas dicho, que en muchas cosas no me has comprendido; a pesar de lo cual tu incesante bondad no ha flaqueado. Te debo una explicación por Salai, por el español, por Ludovico, por el desdichado Juan Galeazzo. Sé que no me lo pides, pero veo en tus ojos el reproche de lo incomprendido.

Nunca he discutido ni me he excusado. He adulado a veces, cuando era necesario para conseguir mis propósitos. ¿Te acuerdas de la satisfacción del rey Francisco I cuando le presenté el león mecánico de oro, de cuyo pecho saltaron los lises de Francia? Tampoco estuvo mal mi entrada en Milán cuando improvisé y canté para Ludovico con la lira de nueve cuerdas sobre una dorada cabeza de caballo que me había cincelado Verrocchio. Allí me gané al desconfiado y altanero Ludovico Sforza. Pero si no me he excusado ni enzarzado en disputas, sí que he intentado explicarme muchas veces, la mayoría con escasos resultados. Me he explicado a mí mismo en interminables cuadernos y por eso quiero dedicarte a ti, querido Francesco, este último, donde contaré lo que más me ha importado, lo que ha sido más caro a mi corazón, empezando por mi madre.

En el más antiguo recuerdo de mi infancia tengo para mí que, estando en la cuna, un neblí me abría la boca con su cola y me golpeaba los labios con las plumas muchas veces. ¿Cómo saber si fue sueño o realidad? Y si ilusión, ¿por qué perdura este recuerdo y no otros? ¿Qué hacía el pájaro en mi duermevela? ¿Qué enigma me estaban insinuando los dioses que mueven los destinos? ¿Nos habla Hermes en sueños? Quizás me estaban avisando de que era bastardo —algo que supe mucho después— y de que debería cerrar la boca ante la insolencia y la altanería de quienes, peores que yo, gozaban de ilustre cuna. La cofradía de jueces y notarios prohíben el acceso a esta noble profesión a los hijos naturales, igual que a los sepultureros, los curas y los criminales, de modo que me estaba cerrado el camino de mi padre y de mis abuelos. Tampoco pude ir, por eso mismo, a la universidad. A cambio de ello tuve dos madres, la mía natural y la esposa de mi padre, una en Vinci y otra en Florencia, y por tener dos en realidad no tuve quizás ninguna. Me dediqué al arte.

El rocío se esfuma hacia lo invisible, la fruta madura se pudre y reseca, pero los caracteres eternos que yo trazo no perecerán jamás. Cosa mortal pasa, pero no el arte. ¡Oh Leonardo! ¿A qué tanto penar, qué buscas, qué te ha faltado? Ahora lo sé y ya no me importa confesarlo a la orilla de la muerte: el amor de la madre, esa ternura inefable, incondicional, injusta que se da infatigable. Es ése, Francesco, el único amor infalible entre un hombre y una mujer, el de la madre con el hijo, no al revés, que el hijo es egoísta y ama por interés para seguir absorbiendo. Pero un hombre sabe que el único amor de mujer perfecto, exacto, inagotable, es el de su madre. Lástima que eso lo aprenda demasiado tarde, cuando ella ya no está, y él la ha pretendido reemplazar vanamente por otras mujeres. ¿Por qué crees que he traído conmigo ese retrato de mujer sin nombre?: esa que sonríe para sí, como la montaña cruzada por una nube, es mi madre. Obsérvala bien y notarás su parecido conmigo. Sin una madre, Francesco, no se puede vivir, pero sin una madre tampoco se puede morir. Ella me acompañará en las últimas horas que ya siento aproximarse: cuida de su retrato cuando yo haya muerto, dáselo al rey de Francia, pero no le reveles quién era.

La soledad, Francesco, es el buitre que corroe a Prometeo, no otra cosa me ha atormentado toda mi vida: desde niño supe que era diferente. Un día, jugando con mis compañeros cuando tenía tres años me di cuenta de que no era como ellos y volví llorando a casa: no estaba mi madre. Casi nunca ha estado mi madre, ¡y eso que tenía dos! Toda mi vida ha sido esa huida de mis compañeros de juegos, esa casa sin madre, la soledad vacía de ternura. ¡Qué no hubiera dado yo por una hora de ternura! La gloria, sin dudarlo, todo lo hubiese dado, menos la belleza que me ha salvado del suicidio, la divina belleza que transporta a su amante más allá de las murallas llameantes del mundo, al empíreo donde nada se mueve porque todas las cosas han alcanzado la perfección de que eran capaces y no desean pasar más allá. Ése es el mundo de los arquetipos platónicos que ansiaba Ficino y que yo he visitado como ningún otro mortal; pero lo que aprendí debo guardarlo para mí, so pena de ser escarnecido, además de incomprendido, cuando no perseguido.

El evento crucial de mi juventud sucedió cuando, en plena adolescencia, mi padre decidió colocarme como aprendiz de Verrocchio en Florencia. Yo había tenido la educación de familia bienestante en Vinci, pues mi abuelo, notario retirado, me crió en su casa de terrateniente, es decir, orientada a las labores del campo. De mi madre, que creía era la esposa de mi padre, sabía que vivía con él en Florencia, y como así fue desde el principio y no conocía otra situación, y como me sentía feliz con mis abuelos paternos y el tío Francesco, no envidié a mis compañeros de juego cuando eran llamados por sus madres a recogerse en el hogar: mi abuela fue mi madre de hecho, y tenía una oficial lejos, que por lo menos servía para convertirme en un hijo normal. De Catalina, la campesina que tuvo el desliz con el joven notario Piero da Vinci, de ésa, mi verdadera madre, no supe hasta bien avanzada mi juventud. Y tuve que aprenderlo de golpe, a disgusto y sumido en el estupor cuando descubrí, por despecho de un canalla, las circunstancias de mi irregular nacimiento. A Catalina, los Vinci, poderosos propietarios en el pueblo, la casaron a toda prisa con un buen hombre, molinero de Anchiano, muy trabajador, que se hizo cargo de ella y, al parecer, la consoló de mi pérdida. Gracias a Dios pude recuperarla al final de sus días el tiempo suficiente para hacerla feliz y vislumbrar como era: lo que descubrí de esa mujer fabulosa lo he dejado en el retrato que te encomiendo.

Mi padre era amigo de Verrocchio y le enseñó algún dibujo de los que yo garabateaba desde niño. Me salían espontáneamente, con la misma naturalidad con que hablaba o cantaba, creía que dibujar era lo más natural del mundo, que todos lo hacían, como segar, coser o cocinar. En lo único que me sentía distinto era en usar la mano izquierda en vez de la derecha. Los dibujos y la influencia de mi padre, que trabajaba para la Signoria y gozaba de prestigio en Florencia, me sirvieron de credenciales para entrar en uno de los mejores talleres de Florencia, que los tenía excelsos.

Qué hombre maravilloso era Verrocchio. Me acogió en su casa como un hijo y en su taller como aprendiz con esa magnanimidad desinteresada de los grandes señores de raza. Cuando pinté el ángel para su *Anunciación* y todo el mundo vio que era mucho mejor que el suyo, él, en vez de ofenderse envidiosamente, se alegró y dijo que en adelante podría dejarme los pinceles y dedicarse de lleno a la escultura.

Decir que Verrocchio fue un padre para mí puede parecer elogioso cuando en realidad es autoconmiseración porque mi padre se cuidó de mí de lejos, me dejó en Vinci y se fue a vivir a Florencia. Fue mi tío Francesco quien me enseñó casi todo siendo yo niño. Tenía un corazón de oro, paciencia, sabía contarme cuentos como nadie, quizás porque no hacía nada, viviendo en casa de mis abuelos y dedicándose a frivolidades rurales como plantar moreras y cultivar gusanos de seda. Como sólo era quince años mayor que yo, mi tío se prestaba a llevarme con él en sus paseos por el campo. Incluso llegó a inspeccionar los trabajos en las viñas y olivares cuando mi abuelo ya era demasiado viejo. En esas visitas caminábamos largamente entre olivares, viñedos y huertos, sobre colinas suaves que descienden hacia arroyos umbríos. A menudo, él se paraba a recoger plantas medicinales y conchas de caracol, fósiles, esqueletos de animalitos, siempre que fueran retorcidos, rampantes, caracoleantes. Estaba fascinado por las formas en espiral. De él me viene el gusto con que decoro los yelmos y las máscaras quiméricas: alas de dragón, membrana de murciélago, espiral de caracol, pico de concha son para mí ondulación petrificada, fusión de fuerza y forma, dureza cristalina testimoniando el crecimiento que fue vivo.

Fue el tío Francesco quien me sugirió la broma pesada que le gastamos a mi padre —la primera entre otras tantas que he perpetrado a lo largo de mi vida— cuando éste me pidió que le decorase un escudo para un campesino amigo suyo. Era una rodela torcida, mal trabajada y tosca que tuve que enderezar al fuego y llevarla al tornero para que la alisase; después de enyesarla y prepararla a mi manera, estaba yo pensando qué le pintaría cuando entró Francesco y me propuso su idea. Así que nos fuimos al campo a cazar salamanquesas, lagartos, grillos, serpientes, mariposas, lechuzas y otras especies de animales lo más raros y escalofriantes posibles. Luego me encerré en una cabaña donde no dejábamos entrar a nadie, y de la multitud de animales variamente combinada tracé un engendro horrible y espantoso que pinté de tal modo que parecía envenenar y ahogar el aire con su aliento; salía de una roca oscura y quebrada echando veneno por las fauces abiertas, fuego por los ojos y humo por la nariz, de modo que parecía cosa monstruosa y terrible. Cuando Francesco venía a comprobar los progresos de aquella Medusa se quejaba del hedor de los animales muertos amontonados ante mi caballete, pero yo no lo sentía.

Acabada la obra, que ya no me reclamaban mi padre ni el campesino, le dije a mi padre que podía mandar por ella cuando quisiera. Vino pues Ser Piero una mañana a la cabaña por la rodela, llamó a la puerta y le dije, sin abrirle, que aguardase un poco; volví adentro y coloqué la rodela a contraluz mientras Francesco disponía los postigos de la ventana de modo que entrase luz deslumbradora. Hice pasar a mi padre, quien al ver la rodela de pronto y no esperándose aquello se sobresaltó, no creyendo que fuese el escudo, ni siquiera pintura aquella figuración que veía. Se disponía a huir cuando Francesco, que se escondía en un rincón, soltó la risa y yo le contuve diciendo: «Esta obra sirve para lo que ha sido hecha; tomadla pues y lleváosla, pues tal es el fin que debe esperarse de toda obra.»

Lástima que Francesco ya no estaría para ver la cara que puso el jardinero del papa, muchos años después, cuando solté por el Belvedere un lagarto al que injerté alas de murciélago. Francesco se casó por fin cuando yo me vine a Florencia —disculpa el lapsus, pero es que yo estoy siempre en Florencia, y más en estos últimos años de crepuscular melancolía—, y al morir hace diez años me legó a mí sus tierras. Bendito Francesco, fue mi segundo padre. Verrocchio sería el tercero.

Verrochio nos tenía en su casa como hijos, según era la costumbre entre maestro y aprendices, con la particularidad de que él era soltero, cosa que yo he imitado entre otras muchas que aprendí de aquel hombre excelente. Lorenzo di Credi no le abandonó nunca, aun pasada la edad de aprendiz, y gracias a él nuestro maestro no vivió nunca solo ni conoció la amargura de los solteros. Cuando murió en Venecia, Lorenzo trajo su cuerpo a Florencia. Su devoción a Verrocchio habla por sí sola de las calidades de Lorenzo di Credi, compañero inolvidable como lo fue Perugino; tuve suerte al encontrarlos, pues igual podía haberme tocado convivir con jóvenes más parecidos a Nanni Grosso, un borrachín que cuando volvió del hospital de Santa Maria Nuova y le preguntamos cómo se encontraba nos dijo: «Estoy mal.» «Pero te han curado, ¿no? «Por eso estoy mal, mejor estaría con un poco de fiebre en aquel hospital cuidado y servido.» Cuando moría en el mismo hospital le pusieron en las manos una cruz de madera y él protestó exigiendo que le diesen un crucifijo labrado por Donatello pues no podía resistir una obra tosca. Este perfeccionismo nos lo debió inculcar el maestro a todos, pues Lorenzo di Credi no soportaba que se hiciera el menor movimiento en el taller para que no se levantase polvo. Además de purificar y destilar él mismo los aceites de nuez —como yo he practicado también—, componía en la paleta los colores que iba mezclando, del más claro al más oscuro, que de cada color tenía treinta matices y para cada uno reservaba un pincel particular. Manías de viejo en las que cualesquiera podemos caer. Al final se fue a vivir al convento de Santa Maria Novella, y allí le cuidaban y le dejaban hacer, hasta que murió apaciblemente.

Con Lorenzo y Perugino me llevé muy bien, ésa fue mi fortuna. Supongo que se la debo a nuestro maestro, que atraía hacia sí gente de su propia complexión. No tuvimos incidentes como en otros talleres; el de Ghirlandaio, por ejemplo, que envió a sus aprendices a copiar los frescos de Masaccio en la iglesia del Carmine. Me ha contado Piero Torrigiani que Buonarroti y él estaban aprendiendo a dibujar en la prodigiosa capilla pintada por Masaccio y era habitual en Miguel Ángel molestar a los demás metiéndose con ellos y tomándoles el pelo, hasta que un día en que se mofaba de Torrigiani éste se enfadó más de lo habitual y, cerrando el puño, le dio tal golpe en la nariz que sintió hueso y cartílago hundirse como mazapán. El pobre Miguel Ángel llevaría ese recuerdo suyo hasta la tumba. Sólo le faltaba eso a aquel hombre feo que amaba la belleza. Pero dejemos a Miguel Ángel, del que te hablaré luego.

En aquel año gozoso de 1466 y los siguientes, Florencia era una fiesta, sobre todo cuando nos visitó el duque de Milán y Lorenzo de Médicis pidió a Verrocchio que le decorara el palacio para deslumbrar con sobriedad y elegancia al fastuoso Galeazzo María Sforza, que, un poco nuevo rico como los de nobleza reciente, venía con opulencia aparatosa. Entonces entré por primera vez en el palacio de la Via Larga y pude recorrer a mis anchas minuciosamente las estancias, logias y patios porticados donde se guardaban las colecciones de tres generaciones de Médicis. Me entretuve en la biblioteca para ojear los manuscritos traídos por Argyropoulos y dejados por Gemisto Pletón. Estaban el *Asclepio* de Hermes Trimegisto, los *Diálogos* de Platón, *La abstinencia de carne* de Iamblico, tantas cosas que yo no podía leer porque no sé griego. Me sentía como Petrarca, que acariciaba su Homero sin poderlo entender. Pasé a las estatuas, el busto de mármol roto, potente, maravilloso de fuerza y expresividad, que Miguel Ángel acariciaba con más resultados que Petrarca. Vi la colección de camafeos de Lorenzo traídos de Roma por Brunelleschi, las colecciones de cristal y porcelana, las vajillas de cerámica toledana. Las joyas de Lucrecia Tuornabuoni, la señora madre, no estaban a la vista, lógicamente, y yo me las ingenié para, con mi cortesía, lograr que ella misma me las mostrara. ¡Y las pinturas! En la pequeña capilla del piso alto, Benozzo había detenido para siempre la entrada del emperador Paleólogo en Florencia, cuando vino para el concilio universal de 1439. ¡Qué maravilla de oro y colores, qué delicados paisajes, qué finura en los rostros de los pajes! ¿Éramos realmente tan hermosos los jóvenes florentinos?

En el palacio de los Médicis lo único que no era bello eran ellos: Cosme tenía una nariz imposible, la cara angulosa como un barro mal moldeado, el labio inferior demasiado abultado, los ojos juntos, el cuerpo derrengado. Su padre, Giovanni di Bicci Médicis, aún peor, era como una máscara de carnaval, una aparición espectral. Su hijo Piero, el que murió de gota, tenía una mandíbula que le alargaba el rostro excesivamente. Y Lorenzo: era apuesto, misterioso, intenso, pero nunca hermoso. Tenía los melancólicos ojos mediceos del voluptuoso místico y la cínica boca del escéptico (que le permitía comentar: «No me place que los ultramontanos y los bárbaros interfieran en los asuntos de Italia»). Cuando el rey de Francia le escribió «*mon cousin*», él contestó «Lorenzo, ciudadano de Florencia». ¿Por qué sólo las repúblicas vivas crean tiranos admirables? Aunque la sangre de los Tuornabuoni había mejorado la raza de médicos rurales de sus mayores, ese deje rústico es lo que confería la profunda elegancia a aquella casa. Nunca me ha deslumbrado el lujo si no tiene un toque de simplicidad campesina desahogada y bienestante.

Quien sí era hermoso era su hermano Juliano, de bellos ojos negros, abundante cabellera azabache, ágil y bien formado, pensativo doncel toscano. Si vas a Florencia, podrás verlo representado como Hermes en un cuadro de Botticelli. Estaba enamorado de Simonetta Cataneo, casada con un Vespucci, a la que dedicó un torneo con los bailes y banquetes que puedes leer en la *Giostra* de Poliziano. Estos Médicis se enamoraban de mujeres casadas. ¿Para qué? ¿Seguían el ideal de amor que explicaba Ficino en los *Diálogos* de Platón? ¿Les bastaba con idealizar a la amada, se llenaban con esa obsesión mental que no conduce a nada pero colma los momentos de paso entre una actividad y la siguiente? ¿Estaban poseídos por su madre, la todopoderosa Lucrecia Tuornabuoni? No sé a qué llegaría Juliano de Médicis con la bella Simonetta; sea lo que fuere, no duró: los dioses hacen morir jóvenes a aquellos a quienes aman, y Simonetta, que era una Venus —así la pintó nuestro Botticelli, saliendo del mar entre vientos y hojas—, murió al poco de ser honorada por Juliano y cantada por Poliziano. Los florentinos, que amamos la belleza, acudimos en masa a su entierro; aún puedo verla pasando entre la muchedumbre consternada en un sarcófago de cristal para que quienes no la conocían pudieran guardar en su memoria la imagen de la belleza y, quienes la trataron, la mirasen por última vez. Cosa mortal pasa, *ma non d'arte,* mi querido Francesco, lo he comprobado tantas veces ya, e incluso las cosas de arte perecen a veces por barbarie humana, como mi escultura ecuestre de Milán.

EROS-NARCISO

El amor, Francesco, ha sido para mí apetito de belleza. No he amado a nadie por su sabiduría, que de eso tenía bastante en los libros, en Alberti, Ficino o Pico; he amado a algunos por su belleza, de la cual nunca tengo suficiente. He amado porque tenían exuberante pelo rizado, por sus párpados suavemente abrumados, como cargados por un secreto de los dioses. Amé al doncel toscano como amé las flores, el vino espeso, las alas en el cielo, el agua clara con ruido y los perfumes densos, mis caballos y mis liras. Conocí por primera vez el amor en un día de carnaval; las gentes corrían alborozadas en pasacalle cantando unas rimas compuestas por el propio Lorenzo de Médicis, aquel hombre magnífico no sólo pagaba la fiesta sino que era capaz de darle contenidos. ¡Qué escuela de artistas admirable estas fiestas carnavelescas! Las efímeras decoraciones, las carrozas alusivas, las máscaras y disfraces para el baile nos permitían invenciones libres que no eran posibles en los encargos normales, donde el cliente sabe lo que quiere y nos cierra el tema: para carnaval éramos nosotros, los aprendices, quienes soltábamos la fantasía para crear quimeras, que lo primero que debe aprender quien desea ser artista es a inventar. El estrambótico Piero di Cosimo solía contemplar los muros cercanos al hospital para recrear su imaginación en los esputos lanzados contra la pared en ellos concebía transparencias y viscosidades para las alas de sus dragones, como aquel que pintó con Andrómeda, y no iba desencaminado mi estrafalario amigo: si observas muros sucios de manchas o construidos con materiales dispares y te das a inventar escenas, allí podrás ver la imagen de distintos paisajes, hermoseados con montañas, ríos, árboles, llanuras, grandes valles y colinas de todas clases. Y aun verás batallas y figuras agitadas o rostros de extraño aspecto, vestidos, e infinitas cosas que podrás traducir a su forma entera y correcta. Ocurre lo mismo que con el tañido de las campanas, en cuyo son encontrarás cualquier nombre o vocablo que imagines.

Así, el carnaval era para los aprendices un gran medio de avivar el ingenio: se dibujaba rápido, se pintaba con soltura porque nada duraría y se pagaba el derroche. Para mí, el carnaval florentino es además inolvidable porque en él conocí a Fioravante.

No quiero suponer que Lorenzo de Médicis seguía simplemente un impulso artístico cuando componía sus canciones carnavalescas porque este hombre misterioso, cuya compleja naturaleza armonizaba cualidades opuestas y las mezclaba, utilizaba su sensualidad en provecho de la política. Los Médicis habían basado su poder en el apoyo de la gente del pueblo, poniéndose de parte de los plebeyos en sus peleas contra los ricos. Yo le vi, rodeado de máscaras, conduciendo el baile bajo las paredes de su palacio mientras las mujeres los contemplaban desde las ventanas. Sabía quién era él porque habíamos inventado su disfraz en el taller. Así cantaban el tenor y el bajo, unidos a la cítara y al tambor: «*Quant'e bella giovinezza che si fugge tuttavia: chi vuol'esser lieto sia, di doman non c'e certezza.*» Carros triunfales, apuestos jóvenes ricamente vestidos sobre espléndidos caballos, lluvia de lirios y violetas, arcos triunfales ornados de flores y guirnaldas, lluvia de confetis, antorchas luciendo en la penumbra crepuscular, el aire estaba lleno de música y allí, en medio del esplendor y la fiesta, se me apareció la encarnación viviente de Eros, el genio del amor. Era tan bello como uno de los pajes que Gozzoli pintó en la comitiva del emperador de Bizancio. Mis primeros meses en la *botega* de Verrocchio los pasé secretamente con él, huyendo por las tardes, cuando el trabajo terminaba, hacia las colinas de Fiesole, donde habíamos establecido nuestras citas en una fuente umbría y poco usada en aquellas horas crepusculares. El esplendor del ocaso en la dulzura del ángelus llenaba su cabello de destellos y yo me perdía en sus ojos violeta, líquidas amatistas que reflejaban la penumbra del firmamento por donde el sol se había puesto. Era Fioravante, hijo de Domenico, amantísimo conmigo como una doncella: pude amarle.

La ternura de aquel adolescente, Francesco, me tocaba profundamente allí donde no llegan las caricias del dedo sobre la piel, ni siquiera en las más recónditas y sensibles entretelas del cuerpo. La ternura me ha paralizado la voluntad y encadenado el alma. Yo quería llevármelo a mi estancia, donde Lorenzo di Credi se había confabulado conmigo para esfumarse discretamente en caso de necesidad, pero, llegada cierta hora, Fioravante desaparecía como llevado por el diablo, con cara de alma en pena, sin decir palabra, sólo un gesto y el destello de resignación desesperada en sus ojos.

Los días de fiesta atisbaba entre la multitud hasta dar con su cabellera dorada, que yo sabía distinguir al otro lado de la plaza. El día que Lorenzo de Médicis organizó el torneo en honor de su amada Lucrecia Donati, yo le busqué con envidia entre las magnificencias que con Verrocchio habíamos preparado para la fiesta. Se trajeron los mejores caballos de Italia, y Lorenzo montó a *Fals'amico* y *Abruzzese,* que venían de los establos de Nápoles. Verrocchio le había engarzado un gran diamante en su escudo y yo pinté en su estandarte una mujer que trenzaba guirnaldas de hojas de laurel, emblema de Lorenzo, coronada de un sol y un arco iris con la divisa «El tiempo vuelve». Puedes imaginar, Francesco, lo que era Florencia engalanada. Esas barras de madera sostenidas por anillos de hierro que aún se ven en las ventanas sirven para suspender tapices, brocados, guirnaldas de flores, hasta ocultar la piedra gris de los muros. Las fachadas resplandecen, las banderas rojas y blancas ondean, suenan trompetas y tañen las campanas: los caballeros entran en la arena de la plaza Santa Croce precedidos de sus heraldos, acompañados de gentilhombres y de un paje portando el estandarte con cada divisa familiar. Y allí, con Benedetto Salutate, ese botarate corrupto que lucía arneses de plata cincelados por Pollaiuolo, rival de nuestro Verrocchio, estaba Fioravante como paje. Aquel día ya no vi más, no atendí a los lances de la liza ni aplaudí el triunfo pronosticado de Lorenzo; sólo oía el galope de los corceles en mis sienes mientras trataba de comprender qué hacía mi amigo en la casa de Salutate, el disoluto potentado que acabaría arruinándose por un banquete suntuosamente desmesurado.

Él no me vio, o no quiso verme, cosa difícil pues yo no era bajo, antes al contrario, y me sobraban tantos rizos rubios como a él; además vestía la túnica corta de color rosa, habitual en mi juventud por ser el color de los adolescentes florentinos. Aquel día, entre la muchedumbre, como un plebeyo más, me juré que sería rico, al menos lo bastante rico para mantener una cuadra de corceles bien enjaezados, palafreneros y criados, un establecimiento señorial donde sentirme a gusto y solazar mi apetito de belleza. Lo he conseguido con suficiente asiduidad y satisfacción para mi gusto fastidiosamente exigente. Decidí disfrutar toda mi vida de corceles andaluces como los de Lorenzo y así se ha cumplido hasta el final. Cuando volvimos a encontrarnos, Fioravante no quiso explicarse sobre su relación con los Salutate pues era taciturno como los que están pagados de sí mismos, conscientes de su belleza, como Narciso, que no necesitaba hablar, inmerso en la orgullosa reticencia de la belleza. Sus silencios eran exasperantes y yo intuía que, además de soberbia, ocultaban alguna cuestión inconfesable. Fue mi primer amor. Él era como un paje de Gozzoli o un ángel de Botticelli; yo era el David de Verrocchio. No es metáfora ni presunción por mi parte: es la pura realidad. Si quieres saber cómo era yo de adolescente, mira en Florencia la escultura de mi maestro para la cual me pidió que posara. Con Fioravante descubrí que el amor es atracción hacia la belleza del otro y pensamiento obsesivo sobre ella. Si sólo fuese atracción podríamos satisfacerla y ser felices, pero lo peor es el pensamiento, que nos la trae cuando no la tenemos delante. El amor es una obsesión de la mente, que no de los sentidos; los sentidos viven en el instante, la mente se demora en el pasado o se precipita al futuro con tal de no parar mientes en lo que sucede.

A veces he comparado el amor con la fuerza, meditando la idea de Dante, que para mí es más que una metáfora, «el amor que mueve el sol y las estrellas». En mi cuaderno sobre la mecánica escribí:

¿Qué es aquello que comunica a todo cuerpo una actividad maravillosa,
y le obliga a cambiar de forma y lugar;
que corre con furia a su agotamiento;
que la lentitud hace crecer y la velocidad disminuir;
nacida de la violencia, muere de su libertad,
y destruye despiadadamente todo lo que se opone a su propia destrucción?
Quiere vencer, abolir el obstáculo, y muere de su victoria;
el cuerpo donde ella se manifiesta no aumenta de peso ni de volumen;
las fatigas la confortan, el reposo la agota,

el cuerpo donde ella se incarna pierde su libertad y a menudo engendra otra como ella;
en fin, que es enteramente y por todo la misma en todas sus partes.
Es la fuerza, hija del movimiento material, nieta del movimiento espiritual, madre y origen del peso.
La fuerza es un poder espiritual, una potencia invisible,
que se infunde, por violencia accidental,
de los cuerpos sensibles a los insensibles,
en todos los cuerpos que están fuera de su equilibrio natural.
Transmuta y constriñe todo cuerpo a mutaciones de sitio y de forma.
Gran potencia le da gran deseo de muerte.
Transmutadora de formas varias,
vive por la violencia y muere por la libertad.
Vive con desazón de quien la tiene
y se contrapone a los deseos naturales.
Constriñéndose a sí misma, obliga a todas las cosas,
habita en cuerpos que están fuera de su curso natural,
se consume complacida en sí misma,
es sólo un deseo de fuga;
siempre desea hacerse débil y extinguirse:
ninguna cosa se mueve sin ella,
ningún sonido o voz se oye sin ella.
Su verdadero germen está en los cuerpos sensibles.
El peso se desplaza de natural al sitio que desea,
el peso se mueve de buena gana,
pero la fuerza siempre desea huir.
El peso es corpóreo y la fuerza incorpórea,
el peso es material y la fuerza espiritual.

Si ella desea fuga y muerte, él quiere estabilidad y permanencia.
Si el uno es eterno, la otra es mortal.
A menudo se engendran mutuamente:
el peso genera la fuerza, la fuerza el peso
y si son de parecida proporción, se hacen larga compañía.
Cuando el amante está junto al amado,
allí se reposa:
cuando el peso está posado,
allí se reposa.

¿No te parece que el amor y la fuerza tienen algo en común?: nacida de la violencia, muere de su libertad, las fatigas la confortan, el reposo la agota, el cuerpo donde se encarna pierde su libertad... ¿no es así el amor? Dante vio justo al detectarlo en la atracción de las estrellas.

Se me acusa de gélida indiferencia porque no amo a nadie en concreto. Ellos no saben qué es amarlo todo, sin excepción: la piedra y el pájaro, el agua y los pantanos, el animal por nimio que sea, el ser humano. Ese amor indiscriminado, total, es un perfecto desconocido, y lo que no se vive no se comprende, ni siquiera se concibe que pueda existir. Mi amor es frío como los espacios siderales, pero alcanza hasta los luceros y los ama con el amor que mueve el sol y las estrellas.

Eso no quiere decir que no haya sufrido. Fioravante, Salai, el español, todos ellos me atrajeron en un momento u otro, ¿quién, a los cuarenta años, hubiera resistido la belleza de Salai?, no sería humano si no hubiera sucumbido. Mis disgustos me han costado y ese incansable esfuerzo por ir más allá de la carne, de la persona, del pensamiento obsesivo sobre la belleza del ser que me atrae. La soledad, Francesco, es no tener a nadie a quien volver. Pero yo tengo, ahora, el mundo, que te dejo a ti y a los que viviréis después de mí. ¿Cómo no lo veis? El amor va de dentro afuera, no al revés, como creen los insensatos que acumulan. Sólo tú generas amor. ¿Por qué fijarlo en una sola persona? Espárcelo generosamente como el sol regala su luz y piensa que es por la luz del sol que vemos el sol. El amor no puede ser para nadie en concreto, amor dirigido es egoísmo. ¿Sirve de algo afirmar estas cosas que cada uno debe descubrir a fuerza de vida y desengaños? Tu vida te lo mostrará, o quizás no. Cada hombre y mujer repiten incesantemente los errores de los muertos. De nada sirve avisarlos. No sé por qué escribo, quizás para ahorrarte tiempo y gastar el mío lo más aprisa, el poco que me queda. Como el viajero que navegando entre las islas del archipiélago ve la neblina luminosa alzarse al atardecer y descubre poco a poco la línea de la costa, comienzo a vislumbrar el perfil de mi muerte. ¿No escribió eso un emperador romano? El tiempo es la posibilidad de que dos cosas ocupen el mismo espacio; yo debo salir para que tú seas, así nos hemos apartado todos para que vivan otros, es parte del amor universal, el amor que no pide prendas, el único que yo he comprendido y por el cual, mal que bien, he vivido.

Tú que has adornado mi vejez, acompañado mi soledad en tierra extraña —no debería hablar así, porque para el iniciado su casa es el ancho mundo—, podrás quizás entenderme, porque tu amor no es como los otros: no sólo es el último, es el más puro, estable, incondicional. Cuando te vi por primera vez en casa de tu padre, mi amigo Francesco de Melci, en vuestra noble villa de Vaprio, eras apenas un niño; me pediste venir conmigo —entonces yo huía de Milán a Venecia— y yo te aparté cariñosamente de tu propósito infantil arguyendo que sólo podría tomarte como aprendiz cuando tuvieses catorce años. Era mentira, porque a Salai lo acepté con once, pero tú persististe y apareciste ante mí otra vez con catorce años cumplidos, y no pude rechazarte ya. Ojalá hubieses entrado antes en mi vida, quizás mis peores errores no habrían sucedido.

El día en que te conocí habíamos andado con tu padre por las montañas buscando fósiles que, para mí, lejos de probar el Diluvio Universal, muestran que la Tierra no fue creada hace unos miles de años, como pretenden los padres de la Iglesia, sino mucho antes, y que las formas de lo vivo se suceden. Recuerdo que, revolviendo con tu padre por una anfractuosidad de la montaña, dimos con el esqueleto petrificado de un pez. Me quedé absorto pensando: «¡Oh tiempo, consumidor de todas las cosas, que las vuelves a ti para dar a las vidas extinguidas nuevas y diversas habitaciones! ¡Oh tiempo, veloz depredador de las cosas creadas, cuántos reyes, cuántos pueblos has deshecho, y cuántas mutaciones de estados y circunstancias han sucedido desde que la maravillosa forma de este pez muriera aquí, en esta cavernosa y retorcida interioridad! Ahora, deshecho por el tiempo, yace paciente en este cerrado suelo; con sus huesos expoliados, desmedulados y desnudos constituye armadura y sostén al monte sobrepuesto!»

Así volvía yo pensando a tu casa cuando, al entrar en el espacioso patio animado por las labores habituales en las villas de campo, apareciste jugando entre los niños de los aparceros como una paloma en un vuelo de grajos. Cuando te vi me miraste y quedaste parado, luego viniste a nosotros, saludaste respetuosamente a tu padre y me dirigiste la insensata demanda que yo aparté ligeramente con una sonrisa y una promesa condicional. El tiempo consume todas las cosas, pero tu propósito ha sido más fuerte que él; como la forma petrificada en las entrañas del monte, que ayuda a sostener, tú me apoyas en esta mi erosionada vetustez.

Mucho antes de conocerte, cuando era joven aprendiz en Florencia, no sabía qué fuera el amor y le cupo en suerte mostrármelo a Fioravante. Él no vino a mí como tú, fui yo hacia él, atraído por el esplendor de su aureola, qué bellísimo era, tanto que serenaba con su sola presencia cualquier ánimo marchito. Este prodigioso poder que se me ha atribuido a mí lo tenía con creces aquel efebo incomparable. Su amistad fue el don amargo y delicioso que colmó mis años adolescentes, ya repletos de felicidad por lo mucho que podía aprender en Florencia, porque toda la ciudad, y no sólo el taller de Verrocchio, era un emporio de conocimientos que fui absorbiendo ávidamente, primero en el arte, luego en la ciencia.

El primer arcano del oficio que nos enseñó Verrocchio fue la pintura al óleo, que entonces se comenzaba a practicar. Un pintor flamenco había vendido unos cuadros que llegaron a Urbino y Nápoles, causando sensación: tenían transparencias, degradados de color imposibles de conseguir al fresco o sobre madera con pigmentos mezclados en agua. Un siciliano, Antonello da Messina, fue a Brujas para conocer la técnica de ese Van Eyck; al volver se instaló en Venecia y le pasó los secretos a Domenico Veneziano, que los trajo a Florencia. Andrea del Castagno, tan hábil simulador como buen pintor, sabía adoptar aires amables cuando lo deseaba, y logró trabar una gran amistad con él. Por las noches se encontraban para cantar serenatas a las muchachas. Así, Domenico Veneziano reveló todo lo que sabía sobre pintura al óleo a su compañero; éste, cuando ya supo todo lo que deseaba, para no tener rival, lo asesinó golpeándole con una barra de hierro. El crimen quedó sin castigo y la traición sólo se conoció porque la confesó al final de su vida, cuando ya expiraba. Se dice incluso que Andrea del Castagno pintaba al morir su autorretrato en la figura de Judas Iscariote, traidor como él en alma y en actos.

Tal era la importancia de este nuevo método que valió un crimen precedido de traición. Perugino, Lorenzo di Credi y yo nos dimos en cuerpo y alma a la tarea de explotar las posibilidades de este medio, milagroso si se compara con la simplicidad del fresco. Podíamos superponer los colores en capas sin que se mezclaran, rehacer indefinidamente el trabajo cuando no nos gustaba, velar los contornos, modelar la carne con degradados para conseguir morbidez y diluir los perfiles en sombras hasta lograr el esfumado.

Me he esforzado por suavizar la pintura hasta convertirla en un arte espiritual: he procurado expresar el estado de ánimo en el semblante y la pose, pues el movimiento del espíritu se trasluce en el cuerpo; he querido insinuar en el claroscuro esfumado la inseparable comunión de la materia con el alma del mundo. He buscado el alma del hombre, criatura del aire, ese maravilloso camaleón, como lo llamaba Pico. La melodía de los rostros se siente con el oído del espíritu; para ello el esfumado es el modo más sutil y delicado, impregnado de misterio, como la sombra envuelve la realidad. El corazón de la belleza griega, el ideal angélico de los cristianos son asumidos, quizás no superados, pero sí complicados en la extrañeza del hombre que está surgiendo. ¿Cómo traducir la idea de perspectiva aplicada al alma?

La perspectiva fue el segundo arcano de la pintura en mis años de aprendizaje. Así como el uso del óleo era un secreto técnico, la aplicación de la perspectiva requería conocimientos teóricos de geometría. La perspectiva es el arte de figurar bien el oficio del ojo, esto es, el parecido de los objetos tal como se presentan ante la vista; consiste en pintar por pirámides las formas y los colores de los objetos contemplados. Son pirámides porque no hay objeto que sea mayor que la pupila del ojo donde terminan estas pirámides. Si tomas las líneas en los extremos de cada cuerpo y las prolongas hasta un punto único, tomarán un sentido piramidal. La experiencia confirma que todo objeto envía al ojo su propia imagen por líneas piramidales. Los cuerpos de igual tamaño darán un ángulo más o menos grande a su pirámide según la distancia existente entre ellos. El punto de fuga, indivisible por su pequeñez, es el sitio donde convergen todos los vértices de las pirámides.

Para representar en la superficie plana del cuadro los objetos en la forma y disposición con que aparecen a la vista, no como son geométricamente, Piero della Francesca inventó un plano transparente colocado entre el objeto y el espectador, y demostró que al trazar los rayos dirigidos desde el ojo hasta las extremidades visibles del objeto se obtiene, en intersección con el cuadro, una forma semejante de la apariencia del objeto. Bramante y yo nos entretuvimos en Milán en comprobar el método del genial Piero, que me había contado Luca Pacioli, discípulo suyo: dibujar sobre un cristal y sobre una gasa con un pincel impregnado de color todos los contornos de los objetos tal como aparecen a la vista. En realidad, Piero había entrado en el conocimiento de la perspectiva por aquel hombre genial, afable y desdichado —porque murió en la miseria— que era Paolo Uccello; aún le recuerdo con su aspecto desastrado, su barba partida como un chivo, errando por calles de mala nota que él ni veía, perseguido por los chiquillos que se mofaban de él. Pero él sólo vivía para la perspectiva. Los artistas le tenían mucho cariño, pero opinaban que se obsesionaba con problemas difíciles e imposibles de su amada ciencia y que ello le hacía pintar cada vez peor cuanto más viejo se hacía. Le encargaron un *Santo Tomás examinando las heridas de Jesús* y, como estaba convencido de lograr una obra maestra, se encerró con el cuadro de tal manera que nadie lo viese hasta terminar. El día que lo colocaba en el mercado Viejo vino por allí su íntimo amigo Donatello, que, tras examinar minuciosamente la pintura, le dijo: «Ah, Paolo, ahora que deberías taparlo lo descubres», lo cual le causó un disgusto de muerte al pobre Uccello, que se encerró en casa con su perspectiva. Le llamaban Uccello porque amaba sobremanera los pájaros; yo le llevé una vez una urraca a su casa para poder penetrar en su estudio y ver qué maravillosas perspectivas se escondían allí, pero sólo vi un retrato muy sobrio de los hombres que admiraba: Giotto, Brunelleschi, Donatello, Manetti y él mismo. Le pregunté por Manetti y me dijo que era el matemático que le ayudaba a interpretar a Euclides. La urraca le causó gran alegría y la soltó por su estudio, como a todos los demás pájaros, que tenía sueltos, y más parecía aquello una pajarera que un taller de pintor; él me enseñó a querer a los pájaros, y cuando yo los compraba en el mercado para soltarlos, en mi pensamiento se los mandaba a él. Había muerto cuando yo alcancé mi maestría, pobre como una rata, pero exclamando todavía: «¡Qué cosa tan dulce es la perspectiva!», ante la desesperación de su mujer y su hija, que no tenían casi qué comer.

Aquella gente de principios de siglo era una generación maravillosa que adornaba Florencia cuando yo llegué y que, en su vejez espléndida, me permitieron libar de sus cálices la sabiduría de los oficios. Tuve la suerte de nacer en el momento mejor, ahora puedo decirlo, viendo lo que ha venido luego. ¿Quién puede, en estos días de oscuridad, vanagloriarse de encontrar dos maestros como Leon Battista Alberti y el melancólico Toscanelli? Yo los tuve y no sólo como lejanos ejemplos a imitar, sino como benévolos maestros de mis primeros saberes. Pues has de saber que cuanto más genial una persona, más abierta está a compartir sus conocimientos para ayudar a los principiantes; eso es así porque, seguros de su valía, no temen que nadie vaya a eclipsarlos, cosa que, por lo demás, no se plantean pues el genio no mira de soslayo sino que vive absorto en sus estudios y realizaciones, demasiado fascinado, colmado por el placer de la creación, para necesitar la recompensa bastarda y banal del reconocimiento o la opinión. Después de todo, ¿quiénes pueden ser sus pares? Muy pocos, y ésos siguen tan absortos como ellos en la búsqueda de la verdad y la creación de belleza. Nosotros sólo nos preocupamos de lo que puedan pensar de nosotros Hermes y Prometeo.

Paolo dal Pozzo, llamado Toscanelli, vivía en una casucha junto al Arno en el barrio de la iglesia del Carmine; a su puerta fluvial más de una noche habían concurrido sigilosas embarcaciones de secretos navegantes que le consultaban sin desear ser vistos y a los que yo conocí alguna vez, pues había entrado en la intimidad del sabio. Toscanelli tenía un manuscrito del veneciano Marco Polo que describía el camino hacia Catay. Pero eso le parecía demasiado evidente, los romanos ya comerciaban con Oriente, nos decía; lo necesario ahora era descubrir el derrotero occidental. Cuando nos llegó hace veinticinco años la noticia del viaje de Cristóbal Colón y las tierras que había encontrado a poniente, recordé que años antes, cuando yo tenía veintidós, una noche asistí al encuentro entre Toscanelli y un navegante genovés al que no parecía hablar por primera vez. Yo escuchaba su conversación sobre cosmografía como quien asiste a una lectura en las aulas de la Universidad de Bolonia. Toscanelli sabía cosas que guardaba para sí, como que la Tierra gira en torno al Sol, lo cual declaró aquella noche ante la aprobación interesada de su interlocutor. Pero saber esto, decía, no tiene mérito alguno, basta dar con un manuscrito de Aristarco de Samos en vez de leer el consabido Ptolomeo. Del mismo modo que la Luna gira en torno a la Tierra, ésta lo hace alrededor del Sol, y si la Luna produce las mareas es porque en Occidente hay un estribo de tierra que repele el mar reenviándolo hacia nosotros, y como la Tierra no es plana sino redonda, como la Luna y el Sol, es indefectible que existe un camino por el océano de Occidente para navegar hasta Oriente. Al terminar aquella conversación inolvidable con el navegante le aseguró: «Hay una isla llamada Brasil al oeste de Irlanda, y la Antilla a veintitrés grados de latitud boreal.» Ante su asombro, le entregó un mapa de su posesión. Estoy convencido de que Colón siguió el mapa de Paolo Toscanelli para su navegación: por eso sabía de antemano lo que podía durar el periplo y mantuvo su confianza ante la tripulación desanimada.

Como le dio a Colón, aquel hombre bondadoso y distante, soltero, entregado como un eremita a la religión de la cosmografía, nos daba a todos su conocimiento una vez se cercioraba de que lo merecíamos, para lo cual imponía dos pruebas: aprender geometría y renunciar a la fe cristiana, aunque no a sus prácticas, pues él recalcaba que la ciencia no necesita mártires sino trabajadores dedicados. Él me enseñó a tratar a los frailes y teólogos, a seguir mis investigaciones sin levantar recelos de la Iglesia, en fin, a prescindir convenientemente de la losa mental de la religión cristiana sin indisponerme con ella. Lo he practicado toda la vida con éxito. Recuerda lo que le pasó al pobre Pico con sus 999 tesis, a poco lo queman. Tuvo que salvarlo —¡entre todos!— el papa Borgia, que cuando llegó al poder le concedió bula y pudo volver a Florencia, pero tan tocado que cayó en la admiración fervorosa de Savonarola y murió hecho una sombra de lo que había sido. ¡Pobre Pico! Su juventud arrasada, su belleza marchita en las austeridades que se imponía para seguir al siniestro monje. Toscanelli me libró a mí de caer en tales entusiasmos.

Cuando se ocultó el sol en 1478 él nos dibujó perfectamente por qué sucedía, nos enseñó los mecanismos de los eclipses, a levantar mapas, a mirar las estrellas. Conocí a Toscanelli cuando la ciudad encargó a Verrocchio que fundiese, izase y colocase la esfera dorada que está sobre la linterna de la cúpula de la catedral. El viejo Toscanelli había sido muy amigo de Brunelleschi. Verrocchio le rogó que nos ayudase porque conocía los secretos de la cúpula tan bien como su autor, que se los había contado. Toscanelli, con Alberti, eran los dos transmisores de la tradición florentina: habían conocido a los grandes inventores ya muertos: Masaccio, Ghiberti, Brunelleschi. Por él supe las intrigas que suscitó la cúpula de nuestra catedral, que nadie osaba construir aunque el edificio estaba a medias.

Toscanelli había enseñado geometría también a Brunelleschi, y le tenía por el mejor hombre de Florencia. Mientras colocábamos la esfera de bronce y la cruz que Brunelleschi había previsto sobre la linterna de su cúpula, a decenas de metros del suelo, aquel viejo de setenta años nos contaba la epopeya técnica que supuso la construcción de la cúpula de nuestra catedral. Para mí, que comenzaba apenas de aprendiz, fue de gran utilidad conocer la historia de las intrigas que sufrió Filippo Brunelleschi para que le dejaran hacer lo que sólo él era capaz de construir. La famosa historia del huevo, por ejemplo: los patrones de la catedral y cónsules de la lana exigieron a Brunelleschi que explicara su plan detalladamente y mostrara su maqueta, como los demás arquitectos llamados a concurso habían hecho. Se negó, y propuso que quien fuese capaz de poner un huevo de pie sobre el suelo de mármol debería construir la cúpula. Sacó un huevo y lo pasó a sus colegas: nadie logró que se quedara de pie. Cuando se lo devolvieron, golpeó la cáscara levemente y lo posó en el suelo. Todos gritaron que eso lo podían haber hecho ellos. «¡Claro —replicó Filippo—, y podríais construir la cúpula si vieseis mis planos y maquetas!» Al final le encargaron el proyecto, pero colocándole a Lorenzo Ghiberti de codirector. Eso le mortificó sobremanera, pues, en su día, él y su íntimo amigo Donatello habían aconsejado al jurado que encargase la puerta del baptisterio a Lorenzo Ghiberti porque su proyecto era el mejor. Ahora Ghiberti, valiéndose de su influencia en el gobierno, se inmiscuía en su trabajo para ser copartícipe de la gloria, y encima cobraba más que él por no hacer nada. Tras fingirse enfermo —lo que paralizó las obras— y conseguir que encargasen a Ghiberti construir la cadena que religaba las aristas de la cúpula, logró ponerlo en evidencia y proseguir la obra bajo su sola dirección. Cuando murió sólo quedaba por rematar la linterna, cuyo peso daba estabilidad a la cúpula; y en ello colaboré con Verrocchio y Toscanelli al iniciarme en el taller. Toscanelli murió cuando yo marché a Milán, de modo que durante quince años de mi aprendizaje gocé de la enseñanza y sabiduría de aquel hombre fabuloso. Mi único mérito es haber seguido su ejemplo. A él debo mi lado cauto, prudente, estudioso, exhaustivo y reservado.

Leon Battista Alberti era todo lo contrario: extrovertido, vanidoso y absolutamente genial. Sin él, yo no habría llegado a nada. Su prodigiosa carrera me demostró que un solo hombre puede abarcarlo todo si se lo propone y usa tenazmente el tiempo. Se cuenta de él que podía saltar con los pies juntos por encima de un hombre, que lanzaba una moneda hasta dar en la cúpula de la catedral. Ya sabes que de mí se dice que podía torcer una herradura con la mano y saltar por encima de un caballo; algunos tenemos una leyenda... que a veces es cierta. Había tres cosas en las que se esforzaba por ser impecable: el andar, el montar y el hablar; de su cámara oscura y demás invenciones ¿para qué voy a contarte?, las conoces de sobras por mí. Lo mejor de él es que todo cuanto tenía y sabía lo repartía sin la menor reserva —como hacen siempre los hombres nobles de naturaleza rica—; regalaba sus descubrimientos, a pesar de que tenía inventada una escritura en cifra mucho más enrevesada que la mía, tanto que la curia de Roma todavía la usa en el día de hoy. Lloraba a la vista de árboles nobles y trigos ondulantes. Más de una vez, cuando estaba enfermo, le había curado la contemplación de un paisaje hermoso. Tenía —o le atribuyeron— el don de la profecía, leía en las caras los corazones. Creía que los hombres lo pueden todo si osan, y lo demostró.

Con Leon Battista Alberti me iba a galopar por las cercanías de Florencia entre las colinas, pues él me enseñó a tratar a los caballos, tan caprichosos como las personas y no menos sutiles si se quiere realmente disfrutar con ellos; para mí el caballo no era sólo una pieza de obligado conocimiento en el repertorio del escultor, sino una fuente de placer como jinete y como caballero —que no siempre coinciden—. En mi pueblo no tuve ocasión de montar a caballo. Alberti, que era de noble familia florentina, me dejaba los suyos y me inducía a comunicarme con ellos sensualmente, como con el cuerpo de una persona amada, me decía, que no con la razón y menos aún la voluntad. De Alberti procuré copiar su manera de hablar y su distinción en los movimientos. No sé por qué me cobró un gran aprecio y se esforzó, procurando que no se notara, en inculcarme los modales de un caballero, que yo cultivaría toda mi vida, no para compensar mi condición de bastardo, sino porque me complacían: las buenas maneras son la estética de la vida cotidiana y ésta es la más frecuente de todas las vidas.

De Alberti se ha dicho que era más teórico que práctico, pues no destacó ni en pintura ni en escultura, siendo en cambio buen arquitecto y excelente escritor. Entre tantos prácticos como éramos en Florencia en su época, un teórico como él resultaba sumamente valioso y, en todo caso, yo quiero reivindicarlo como hombre eminentemente práctico, pues nos enseñó a comprender la perspectiva con su cámara oscura, que nos permitía usar como un juguete a los aprendices jóvenes en su casa, a la que nos invitaba generosamente pues le gustaba rodearse de gente joven. En realidad era práctico porque convertía su vida toda en obra de arte: de él aprendí que nada es baladí por ínfimo o repetitivo que parezca, que cada instante vale tanto como el anterior, se haga lo que se haga en ese momento, por ruin que sea, así que la compostura y la búsqueda de belleza no pueden ser solamente dominio del arte sino que deben aplicarse delicadamente a la vida.

Verrocchio tenía el taller junto al Arno, no lejos de la plaza de la Signoria. Nada estaba lejos en Florencia, ciudad amurallada y limitada por el río y las colinas. De un tamaño abarcable, se podía cruzar andando en el tiempo que dura una conversación, y nunca era tedioso callejear por ella, tantas eran las bodegas, talleres, tiendas que invadían las calzadas, mostrando las entrañas de los menesteres artesanales. ¡Cuántas veces me sirvió de inspiración inquirir en algún taller detalles técnicos que, si no eran secretos gremiales, los oficiales y maestros brindaban generosamente al que veían interesado! Siempre me ha sucedido que, contemplando cómo otros trabajan, he concebido ánimo e incluso ideas para continuar el mío. Yo creo que en aquel ambiente florentino de laboriosidad, invención y calidad nos potenciábamos unos a otros como se estimulan los jinetes en una liza al aumentar sus proezas.

El otro medio impagable de aprender era la conversación: bastaba salir a la calle para encontrar corros comentando las cuestiones más diversas, y no sólo de política, sino de arte e incluso de filosofía natural. Nadie se molestaba o bajaba la voz cuando un joven aprendiz se acercaba para escuchar, y sus preguntas, si las hubiere, eran respondidas con precisión o con ironía, según lo acertado de la demanda. Ya sabes que no existen preguntas impertinentes sino respuestas indiscretas, pero, además, creo que no existen preguntas bien planteadas, porque para formular la pregunta correcta sería necesario conocer la respuesta, lo cual la haría superflua. Una pregunta es sólo una señal sobre el tema que preocupa, un circunloquio que alude vagamente la cuestión, de modo que el otro capte lo que nos interesa y que, a pesar de la inconcreción y parquedad de la demanda, le permita respondernos con la información que deseamos y que, precisamente por ignorancia, no somos capaces de formular con precisión.

En el taller se hacía escultura, orfebrería y pintura. Verrocchio sabía además música y geometría; no sólo recurrían a nosotros cuando necesitaban una escultura, un retablo o una joya, también preparábamos arte efímero para las fiestas o torneos y arte práctico en ingeniería: canales, diques, o la famosa bola que debía rematar el lucernario sobre la cúpula de Brunelleschi. Izar a tanta altura una esfera de seis brazos y asegurarla encima del pináculo contra viento y relámpago fue una proeza en la que tuvo que ayudarnos el mismísimo Toscanelli, contento de culminar por fin la obra de su querido Brunelleschi. Fue uno de los primeros trabajos en que colaboré. Aunque el taller tenía escultores, en aquel trabajo

Verrocchio echó mano de todos nosotros: fundir la esfera en bronce y dorarla fue mi primera gran lección en escultura; subirla y fijarla, en ingeniería. Desde este pináculo de la catedral vi toda Florencia a mis pies, las callejas sinuosas abriéndose en plazas, las torres de las iglesias, algunas de casas familiares que aún quedaban en pie, los techos de las naves de iglesia, el río y las torres de las murallas, todo contenido, mesurado, abarcable al primer golpe de vista. La luminosidad de la atmósfera, el verdor de las colinas erizadas de cipreses, las villas emergiendo entre montículos cubiertos de olivos envolvían la ciudad en una sana y diáfana claridad, como las mañanas primaverales de la niñez. Subir hasta la cúspide llevaba tanto tiempo que los maestros de obras habían previsto cantinas en el amplio tambor de la cúpula donde los obreros almorzaban y se refrescaban sin necesidad de bajar a la ciudad. Yo vivía aquellos días como un pájaro posado en la cima del mundo y hasta a dormir me quedé alguna noche en lo alto de la obra para recontar las estrellas con Toscanelli y comparar su reflejo en las luminarias de la ciudad. Florencia, intra muros, no era verde, como si la frondosidad de las colinas que la rodeaban le bastara: ni las plazas, ni los claustros, numerosos, que se destacaban como parches en el tejido de la ciudad tenían vegetación, pues la ciudad era como nuestra casa y la queríamos con baldosas en vez de plantas, seguramente porque las teníamos en abundancia con sólo pasar las murallas.

Allí subido, a muchos brazos por encima de los tejados, sentí el deseo de volar; como en sueños —donde a menudo volaba—, me parecía normal ser capaz de salir planeando desde la cúpula por encima de la ciudad como cualquier pájaro puede hacer, pero no el rey de la creación; mal rey que no logra emular a sus supuestos servidores. Desde entonces comencé a estudiar el vuelo y la mecánica de los pájaros para dotar al hombre de una capacidad semejante. Su esqueleto es muy ligero y el nuestro pesado, por lo que requerimos más potencia que ellos para sostenernos en el aire: no me cabe duda de que es posible, aunque yo no lo haya logrado y el pobre Zoroastro, que ensayó mis ingenios voladores, se haya partido varios huesos.

La conversación, como te decía, era una educación gratuita que Florencia nos dispensaba a manos llenas en las calles, en las plazas, a la puerta de los talleres, en las escalinatas de las iglesias, por no hablar de las lecciones que los humanistas dictaban en los palacios de sus mecenas o los teólogos en los conventos. El año en que yo nací caía Bizancio en manos de los turcos: en la diáspora subsiguiente, los humanistas griegos encontraron la mejor acogida en Italia, y en especial en Florencia, porque en 1439 habían estado aquí Bessarión y Gemisto Pletón, durante el concilio ecuménico para reunificar las Iglesias latina y griega. Gemisto se quedó y enseñó el griego para que nuestros eruditos o diletantes pudiesen leer a los autores antiguos en el original. Las familias ricas rivalizaron en patrocinar a un exiliado griego: Argyropoulos y Calcocondilo pasaron por aquí antes de dirigirse, como yo, a Milán. El resultado fue que, en una generación, Florencia leía en griego los manuscritos que las familias hacían adquirir a sus cónsules en los puertos de Levante. Los Médicis llegaron a recoger diez mil manuscritos en su biblioteca, entre ellos he visto las *Pandectas* de Justiniano, las cartas de Cicerón, los *Anales* de Tácito, que Maquiavelo copiaba religiosamente, los *Comentarios* de Julio César, para no hablar de los libros que influirían más profundamente en Florencia: el *Poimandres* de Hermes Trimegisto, los *Oráculos* de Proclo, *La abstinencia de carne* de Iamblico —que yo he seguido al pie de la letra toda mi vida—, los versos áureos de Pitágoras, toda esa parte de la biblioteca monopolizada por Ficino y Pico della Mirandola, mientras Poliziano acaparaba a Virgilio.

Ficino, Pico y Poliziano eran las tres gracias para aquel Hermes que deseaba encarnar Lorenzo de Médicis; uno era médico, el otro teólogo y el tercero poeta. Los conocí a los tres: Ficino me causaba admiración, Pico me fascinaba y Poliziano me dejaba indiferente. Ficino me ayudó en mis estudios de medicina y farmacia, que él conocía a fondo —pues estudió en Bolonia— y practicaba hasta más allá de ciertos límites ortodoxos, como haría yo más tarde. Tenía un carácter afable, salud delicada y le gustaba pasar largas temporadas en el campo, en la finca que le había regalado Cosme de Médicis por traducir a Hermes y Platón. Él educó a Lorenzo de Médicis, con lo cual ya está todo dicho. Era corpulento, no agraciado pero de rasgos intensos, carnosos en nariz y labios, los ojos penetrantes de inteligencia y bondad. Se pasó la vida traduciendo manuscritos antiguos, curando y carteándose con media cristiandad. Aún le quedaba tiempo para decir misa —donde recomendaba desde el púlpito las obras de Platón e introducía en la liturgia fórmulas de paganismo—. Era en mi tiempo el alma de la Academia Platónica que se había fundado en Florencia cuando Gemisto Pletón convenció a Cosme de Médicis de su necesidad. Los Médicis le habían dejado la villa de Careggi para reunir la academia y allí se encontraban a menudo para promover la fusión de la religión cristiana con el hermetismo y el platonismo.

Me contaba Ficino que Platón, el padre de los filósofos, murió a la edad de ochenta y un años, un 7 de noviembre, día de su cumpleaños, reclinado en su triclinio después de que el almuerzo había sido retirado. Para conmemorar su aniversario, este banquete, en el cual estaban contenidos tanto el día del nacimiento como el de la muerte de Platón, era celebrado cada año por los antiguos platonistas, incluidos Plotino y Porfirio. Después de Porfirio, estas solemnes fiestas fueron olvidadas durante mil doscientos años. Por fin, en nuestro tiempo, el famoso Lorenzo de Médicis, deseando renovar el banquete platónico, designó a Francesco Bandini como maestro de ceremonias. Bandini dispuso celebrar el 7 de noviembre y recibió con pompa real en Careggi, en la villa medicea, a nueve huéspedes platónicos: Antonio degli Agli, obispo de Fiesole; Ficino, el médico; Cristoforo Landino, poeta; Bernardo Nuzzi, retórico; Tommaso Benci; Giovanni Cavalcanti (nuestro amigo, a quien los invitados designaron como héroe a causa de las virtudes de su espíritu y su hermosa apariencia), y los dos hermanos Marsuppini, Cristoforo y Carlo. Finalmente, Bandini quiso que Marsilio Ficino fuera el noveno, de modo que con él añadido a los ya mencionados se alcanzara el número de las musas. Cuando el banquete fue retirado, Bernardo Nuzzi tomó el libro de Platón que se titula *Simposio sobre el amor* y leyó todos los discursos de ese simposio. Cuando hubo terminado pidió a cada uno de los huéspedes que comentara uno de los discursos. Todos estuvieron de acuerdo, se echaron suertes y el primer discurso de Fedro correspondió a Giovanni Cavalcanti para que lo explicara; el discurso de Pausanias correspondió a Antonio, el teólogo; el de Erisímaco, el médico, a Ficino, el médico; el del poeta Aristófanes al poeta Cristoforo; el del joven Agatón a Carlo Marsuppini. A Tommaso Benci se le asignaron las intervenciones de Sócrates, y el papel de Alcibíades correspondió a Cristoforo Marsuppini. Todos aprobaron este sorteo, pero el obispo y el médico tuvieron que irse, uno para cuidar las almas, otro los cuerpos, y dejaron los papeles a Giovanni Cavalcanti; los demás se volvieron hacia él dispuestos a escuchar y enmudecieron.

Así eran estas reuniones a las que nunca fui invitado, no sólo a causa de mi juventud sino porque los artistas éramos considerados hombres sin letras. Está claro que sin griego —y ya no digamos sin latín— era imposible adentrarse en la complicada teología platónica que Ficino y sus amigos se habían empeñado en desentrañar. Y se decía que de la teología habían pasado a campos más pragmáticos, como la magia natural. Ficino era médico y debía de conocer los simples, no creo que pasara a la alquimia porque lo habríamos sabido aunque lo hubiese intentado mantener en secreto, que en Florencia todo se sabe tarde o temprano; además no consta que los Médicis mantuvieran alquimistas, como sí haría, en cambio, Ludovico el Moro en Milán. De todos modos, algo harían con las hierbas medicinales pues oí decir que en Careggi intentaron resucitar las ceremonias de Eleusis y que se valían de un moho del centeno para alcanzar estados de contemplación que los remontaban al mundo inmaterial de las ideas platónicas. Para ir más allá de la razón, primero hay que acallarla, y sólo se consigue en un estado parecido al sueño sin soñar. Yo no lo he conseguido nunca, porque sueño, pero a veces éstos son tan vívidos, tan reales, que más tengo la impresión de estar viviendo lo que sucederá en el futuro que divagando entre pesadillas irreales. Algunas de mis invenciones se me han aparecido en duermevela, ese estado crepuscular entre el sueño y la vigilia. El crepúsculo es el umbral entre dos mundos, en él he hallado yo caminos que han abocado a cosas maravillosas, desconocidas pero posibles, y que he anotado en mis dibujos en espera de poder realizarlas.

Ficino debía de conocer preparaciones vegetales que llevasen a estados semejantes a estos duermevelas míos. Precisamente yo comencé a tratarle como médico en una ocasión en que Lorenzo di Credi y yo contrajimos una fiebre terciaria que nos fue mal diagnosticada por el médico que curaba a los aprendices del taller. Acudimos a él y nos curó, no sólo con hierbas y simples, sino con el sonido de la lira y el canto de himnos. Recuerdo que me dijo: «No te sorprendas, Leonardo, de que combinemos la medicina y la lira con el estudio de la teología. Puesto que deseas conocer, debes recordar que dentro de nosotros la naturaleza ha fundido cuerpo y espíritu con el alma; el cuerpo es en verdad curado por los remedios de la medicina, pero el alma, que es un vapor aéreo de nuestra sangre y el nexo entre cuerpo y espíritu, es templada y alimentada por los olores aéreos, por los sonidos y las canciones; finalmente, el espíritu, puesto que es divino, es purificado por los divinos misterios de la teología. En la naturaleza se ha hecho una unión de espíritu, alma y cuerpo. Para los sacerdotes egipcios, la medicina, la música y los misterios eran una misma cosa. Ojalá pudiéramos nosotros dominar este arte natural egipcio con tanto éxito como con tenacidad y corazón nos aplicamos a ello. Pero basta de estas cosas por el momento. Me pediste que te dictara la máxima que he inscrito alrededor de las paredes de la academia. Dice así: "Todas las cosas van dirigidas de la bondad hacia la bondad. Regocíjate en el presente. No des valor a la propiedad, no busques honores. Evita el exceso, evita la actividad. Regocíjate en el presente."»

¡Inolvidable Ficino!, siguiendo sus máximas vivió longevo, murió apaciblemente en Careggi poco antes de retornar yo a Florencia, después de capear con discreción la dictadura de Savonarola, que no se atrevió a inquietarle. Él le despreciaba y no cayó, como Pico o Botticelli, en la hipnosis del fanático profeta.

Pico della Mirandola era bellísimo, alto, de rizada cabellera rubia, facciones delicadas como una Madona; había estudiado en Bolonia y viajado por Europa, sabía latín y griego, hebreo, árabe y caldeo; se hizo amigo de

Ficino, que no discípulo, pues sabía demasiado para aceptar su primacía. Era vagaroso, se fue a Roma, donde propuso sostener públicamente 999 tesis de lógica, física, metafísica, moral, teología, matemáticas, cábala y magia; «*de omni re scibili*». Eso le valió la persecución de la Inquisición, además de prohibirle mantener la controversia, que ya los teólogos se empezaban a dar cuenta del peligro de las ideas platónicas y herméticas que, permitidas, hubiesen acabado por destrozar desde dentro la doctrina cristiana. ¿Se percataba Pico de ello o actuaba de buena fe? Me inclino por lo último, pues Pico carecía de la malicia irónica de Ficino y del escepticismo de Lorenzo, él iba de buena fe. Prueba de ello es que sucumbió a la puritana locura colectiva de Savonarola, arrojó sus poemas a la hoguera de las vanidades y se eclipsó jovencísimo pese a los cuidados de Ficino, que no logró apartarle de su propósito de sacar el alma de este cuerpo para llevarla a los empíreos inmortales en que tanto creía. ¡Ojalá esté allí, con Platón y Plotino, poniéndolos de acuerdo con la sombra de Aristóteles! Por algo era señor de Mirandola y príncipe de la Concordia.

Le traté menos de lo que yo hubiese deseado porque se ausentaba a menudo de Florencia y cuando se quedó yo había marchado. Recuerdo una ocasión en que nos invitó a varios amigos a cenar porque tenía en su casa un comerciante de Malabar que explicó las costumbres de los gimnosofistas, y él se reía comparando sus hábitos vegetarianos con los míos, que decidió adoptar desde el día siguiente para aumentar su capacidad de visión, física y espiritual. Pico defendía la dignidad del hombre y nos aseguraba que el ser humano puede elevarse hacia los ángeles o descender hacia los brutos porque es libre y en ello reside su dignidad y su grandeza. La idea no era del todo suya, ya la leí en la traducción que hizo Ficino del *Asclepio* egipcio. Hermes Trimegisto le dice a su discípulo, como el creador habla con su criatura en ese momento prodigioso que ha representado Miguel Ángel en la Sixtina cuando Dios toca con el dedo a Adán: «No te hemos dado semblante ni capacidades propiamente tuyas de modo que cualquier lugar forma o don que decidas, adoptar, después de deliberarlo, lo puedes tener y guardar por tu propio juicio y decisión. Todas las demás criaturas tienen su naturaleza definida y delimitada por leyes establecidas. Sólo tú, desligado de tales limitaciones, puedes, por tu libre albedrío, establecer las características de tu propia naturaleza. Te he situado en el centro del mundo para que, desde esta posición, puedas indagar en torno tuyo con mayor facilidad todo lo que contiene. Te hemos hecho una criatura que no es del cielo ni de la tierra, ni mortal ni inmortal, para que puedas, libre y orgullosamente, moldearte a ti mismo en la forma que te plazca. En tu mano está embrutecerte descendiendo a formas inferiores de vida o ensalzarte por tu propia decisión a los niveles de vida divina. ¿Quién no admirará este maravilloso camaleón? Pues el hombre es la criatura a quien Esculapio el ateniense veía simbolizado en los misterios en la figura de Proteo a causa de su mutabilidad y naturaleza susceptible de autotransformación. Entendamos, pues, que somos criaturas nacidas con el don de llegar a ser lo que queramos ser, y que una especie de elevada ambición invada nuestro espíritu, de modo que, despreciando la mediocridad, ardamos en deseos de cosas superiores y, puesto que podemos alcanzarlas, dirijamos todas nuestras energías a tenerlas.»

Nobilísimas palabras que yo quisiera creer aplicables al ser humano y que yo mismo creía con ilusión en aquel momento juvenil de mi vida. La experiencia me ha demostrado que sólo se aplican a unos pocos, pues he conocido demasiados que no deben llamarse otra cosa que tránsito de comida, productores de heces y colmadores de letrinas, porque de ellos no resulta otra cosa, ninguna virtud se pone en obra: no dejan más que retretes llenos. No me parece que los hombres groseros, de tristes costumbres y poco entendimiento merezcan un instrumento tan bello ni tanta variedad de mecanismos como el de los hombres especulativos y de gran juicio, sino tan sólo un saco donde se reciba la comida y se expulse; que en verdad no se los puede considerar más que un tránsito de comida, porque en ninguna otra cosa me parece que participen de la especie humana, excepto en la voz y la figura; en todo lo demás están bastante por debajo de la bestia.

Poliziano era el menos interesante para mí, aunque lo fue y mucho para el destino de mi amigo Atlante Migliarotti, porque Poliziano escribió el *Orfeo* que, puesto en música, fue cantado por Atlante en la corte de Mantua ante Isabel de Este, lo que valió a Atlante la celebridad como el *Orfeo* por antonomasia. Si Lorenzo de Médicis quiso ser Hermes, Atlante Migliarotti logró ser Orfeo. Yo me contento con tener a Heráclito y Demócrito como dioses tutelares. Poliziano era buen poeta y mejor traductor; fue además preceptor de los hijos de Lorenzo, uno de los cuales fue el papa León X, que conociste en Roma. Tan unido estaba a su mecenas que murió poco después que él, precisamente el día en que los franceses de Carlos VIII entraban en Florencia. Poliziano podía haber sido denunciado con más méritos que todos nosotros juntos, tenía un acercamiento melifluo que, instintivamente, siempre me repelió. Por eso, de los tres puntales de la corte de Lorenzo el Magnífico, fue Ficino el que más me enseñó y de quien aprendí con fruición: Pico estaba ausente y Poliziano demasiado presente. Alberti y Toscanelli eran filósofos prácticos, querían cambiar el mundo. Los otros especulaban sobre el tenue empíreo abstracto en busca de las ideas platónicas, los arquetipos plotínicos y las armonías pitagóricas. Había que verlos en Careggi, allí se reunían todos con Lorenzo: Ficino, Poliziano, Pico, Cavalcanti, Benci, Bandini, Marsuppino, Landino. La única práctica a la que se dignaban descender estos elevados especuladores era la magia natural, basada en las influencias de los astros —según Ficino— y en la cábala hebrea —según Pico—. No sé qué resultado obtendrían y poco debían esperar de sus talismanes cuando sucumbieron al hechizo fanático de las prédicas de Savonarola. Por suerte, yo ya no estaba allí, me fui después del horrendo atentado que acabó con Juliano y que acabó con mi confianza en la bondad humana, como la denuncia por Saltarelli había estropeado mi alegría de vivir juvenil y mi amor por Fioravante.

LA DENUNCIA

Así pasé mi juventud, rodeado de belleza y sabiduría: me impregnaba de la una en calle y taller y buscaba afanosamente la otra con estudio y visitas a los hombres adecuados. Así, ayudando a Verrocchio en esculturas y bajorrelieves, en pintura e ingeniería, llegué a la maestría como artista y fui admitido en la cofradía de San Marcos como pintor florentino. Seguí habitando en casa de Verrocchio, tal era mi cariño hacia él. Me dediqué a gozar de pleno mi juventud y la fabulosa madurez de aquella Florencia espléndida, rica y exigente.

Pero las Parcas no tejen sin cortar: una serie de desgracias se abatió sobre la casa de los Médicis como augurio de que el esplendor no podía durar; cosa mortal pasa, y los Médicis no serían excepción. La contrapartida a la *Giostra* que Juliano organizó en honor de su amada Simonetta fue la precoz muerte de ella. Por fortuna, Sandro Botticelli la había inmortalizado en sus pinturas y nadie podrá dudar de su única belleza. ¿Por qué el extravagante Piero di Cosimo la pintó con una serpiente por collar? El día de su entierro, las sobrias losas de piedra serena estaban cubiertas de pétalos, las carrozas avanzaban majestuosas con séquito de jinetes engalanados: brillaban al sol el oro y los brocados, pero los balcones de los palacios, de las ventanas de las casas, de los ventanucos humildes que abundan en Florencia sólo mostraban crespones negros en señal de duelo. El pueblo de Florencia, que no se resignaba a perderla y que sabía que no podría sustituirla, deseaba ver por última vez la belleza de Venus en su palidez sosegada. Un ataúd de cristal transportaba el incomparable cuerpo de Simonetta Cataneo, como dormida, ajena a su rostro aquella frescura que la hiciera famosa, sólo el candor pálido en la perfección de sus reposadas facciones. Detrás del féretro, el hombre que más la había amado, Juliano de Médicis, y su hermano Lorenzo abrían el cortejo de notables. Los rizos negros de Juliano eran más abruptos que nunca y el ceño mediceo, ese intervalo entre los ojos, nunca estuvo tan cerrado en la regalada vida de Juliano. Quien los ve pasar, como yo ahora desde la vejez, vislumbra en aquello una premonición del destino de Florencia, su muerte súbita y prematura, su delicadeza, su belleza y fragilidad perecederas, afines a las de Simonetta.

Creo que esta mujer ha quedado para siempre como símbolo de aquellos años de mi juventud. ¿Qué otra figura sino Venus y la Primavera nos los pueden evocar con mayor fuerza en su delicadeza? En ambas, la modelo es Simonetta, y en ambas está expresado el secreto de Florencia: ese estado de ánimo rico, gozoso y sabio que inspiró obras como éstas. Si Ghiberti, Masaccio y Brunelleschi representan el albor, Botticelli expresa la plenitud de ese modo de ser y estar en el mundo. Yo soy el ocaso.

¡Pobre Juliano! Buscó consolación en la filosofía, acudía asiduamente a la Academia Platónica con su hermano en Careggi. Yo me he consolado de las obsesiones del amor de modo más sencillo: quitándolo de raíz de mis pensamientos o realizándolo a fondo. Lo malo es la mezcla, realizarlo y pensar o no realizarlo y pensar; es mejor no pensar y realizarlo. Pero pese a las precauciones que uno toma es imposible prever las celadas de la envidia y los celos. No sé si alguna alma caritativa te habrá contado lo de mi denuncia. Fue a causa de Fioravante. Yo seguía viéndole todo lo a menudo que él me dejaba y que Lorenzo di Credi desalojaba la habitación. Nunca quiso explicarme por qué estuvo en el cortejo de Salutate hasta que lo descubrí yo mismo indagando por mi cuenta. Después de todo, en Florencia nos conocemos todos. Su padre le vendía para que los acaudalados neoplatónicos disfrutaran de la belleza del efebo que Ficino les leía en el *Charmides,* el *Fedón* o el *Simposio.* ¿No era Florencia la segunda Atenas? De ahí que su tiempo no fuera suyo y huyera de mí a menudo y sin mediar palabra cuando yo ya creía haberlo seducido. No podía quedarse, sus abandonos y sus ausencias me herían dolorosamente. Tan pronto conocí, Francesco, las dos caras del amor, que es plenitud y vacío porque dos nunca son uno.

Los árboles inmóviles aguardan la espora llevada por la brisa que los fecundará en primavera. La inmensa paciencia de la belleza envuelve los actos de la naturaleza;

los animales —animados por el ánima— se mueven, tremendo error que llevará al dolor. Salvaje es el que se salva, porque vuelve a sumergirse en el quieto, paciente, palpitante, sosegado mundo del vegetal, que sólo se mueve por el roce del viento. Nosotros andamos y yo me moví para buscar a Fioravante, me acerqué demasiado a él sin calibrar que los poderosos no descansan jamás y que los tentáculos de la intriga aprovechan cualquier desliz allí donde aparezca. Los oficiales de la noche y de los monasterios vinieron al taller de Verrocchio a requerirme: debía presentarme ante el tribunal porque una denuncia anónima, echada en la Boca de la Verdad, me acusaba de sodomía activa sobre la persona de Jacobo Saltarelli, puto notorio. Si buscas en mis cuadernos, lo verás dibujado como san Juan, apoyado en una frágil cruz, pero señalando hacia abajo.

No sé si sabes que la pena legal para los casos de homosexualidad es la muerte en la hoguera. Éramos cuatro los acusados: Bartolomeo de Pasquino, Baccino, Leonardo de Tuornabuoni y yo. Un orfebre, un sastre, un niño rico y un aprendiz de pintor. Yo adiviné la mano del poderoso Salutate y de otros patricios de la facción contraria a los Médicis, por mi influencia sobre Fioravante y sobre todo porque entre los cuatro había un Tuornabuoni, pariente próximo de la madre de Lorenzo de Médicis. Creo que fue eso lo que nos salvó.

La denuncia me golpeó como una caída del caballo, un mazazo inesperado del que despiertas aturdido porque no calibras exactamente el alcance que puede tener. Yo era joven y jamás había sufrido el menor problema ni con los amigos, ni con la familia ni con los compañeros del gremio —Miguel Ángel no había nacido— ni, mucho menos, con la justicia; ser acusado formalmente, recibir a los alguaciles de la noche y de los monasterios en el taller con su carta de acusación, ante el estupor de Verrocchio y el miedo de mis compañeros —que varios habían participado conmigo en las diversiones nocturnas—, fue un duro golpe a mis ilusiones, mis ideales, mi alegría de vivir. Yo había sido favorecido por la fortuna con belleza corporal, prestancia, estatura, gestos amables y conversación seductora. En Vinci no fui consciente de nada de esto, pues vivía en casa, jugaba con tío Francesco y no trataba demasiado a los niños del pueblo; fue al entrar en el taller en Florencia y medirme con los demás aprendices cuando me di cuenta de mi ascendiente sobre los demás: pronto supe que ejercía una fascinación sobre los de mi edad y un admirativo cariño en los mayores, empezando por Verrocchio, que me mimaba y consentía. Consciente de este encanto, actuaba más para aumentar mi ángel —y para sentir en forma de halago el efecto de mi don de gentes— que por generosidad o benevolencia hacia el otro: era bueno y encantador para notar mi efecto sobre los otros y regodearme en él, no en el bien que pudiese yo dar a los demás. En una palabra: me creía esplendoroso, irresistible y me gustaba a mí mismo infinitamente más de lo que yo pudiese gustar a nadie; y eso era lo único que me importaba.

La denuncia me arrojó de esta nube de autocomplacencia: mi encanto no valía para protegerme, mi vida valía lo mismo que cualquier otra. Ahí se acabó mi adolescencia, en la que, por cierto, me estaba retardando con morosa añoranza. La acusación me bajó al mundo real, me hizo daño mental e incluso físico, me provocó aquel vacío en el estómago que los dolores mentales azuzan, y el dolor me humanizó. Desde ese momento dejé de creer que la vida era del color de mi túnica, supe que gozo y dolor alternan en una contrariedad incesante, sin que prevalezca ninguno de los dos, pero también sin que ninguno desaparezca. Me percaté de que existe la maldad en estado impuro, aliada con la envidia, los celos, que son su forma amorosa, y la mediocridad, que ni siquiera yo estaría a salvo de ella por más que me comportase siempre honrada y lealmente.

En los días que siguieron a la denuncia vagué pesaroso y con miedo en el cuerpo por las calles de Florencia sin rumbo fijo y comencé a ver —no a mirar, sino a ver— a viejos, tullidos, cretinos, adefesios, que antes había mirado pero sin verlos, sin captar la esencia interior de aquellos desechos que no eran más que otra forma de la exuberancia vital que no para mientes en su proteico ensayo de formas. Me di cuenta de que sólo son deformes o viejos porque los comparamos con la morfología ideal de la juventud y la belleza. Así vi, y concienciée por primera vez, que yo mismo llegaría a ser aquello, si no deforme o tullido, sí viejo y decrépito, como me ves tú ahora. Mírame en el *David* de Verrocchio, Francesco, prométeme que irás a Florencia y me reconocerás como era yo cuando sucedió esto que te estoy contando: el brazo izquierdo apoyado en la cadera y la pierna ligeramente doblada, una espada en la mano derecha, el cuerpo cubierto apenas por una breve túnica en la cintura que cae en pico por el vientre, en los hombros un correaje que en vez de proteger sostiene adornos sobre mi pecho, la espesa cabellera larga y la mirada autocomplacida pues la cabeza del enemigo está entre mis pies.

Vagando sin tino de esta manera, enfrascado en negros pensamientos, me encontré delante del palacio de los Médicis. Entré como un autómata sin saber muy bien por qué. Como era conocido y doméstico de la casa por aprendiz de Verrocchio, nadie me preguntó qué buscaba. Subí la escalera y vagué por las logias deseando encontrarme a Lorenzo de Médicis. ¿Qué le hubiera pedido? ¿Que me protegiese de una acusación que muchos de sus amigos merecían pero no sufrían por ser patricios como él? Desperté de mi aturdimiento y me disponía a marchar avergonzado cuando me tropecé con Lucrecia Tuornabuoni, la señora madre. Un sobrino suyo había sido acusado conmigo. No tuve que decir nada, aquella mujer poderosa, que regía la casa de los Médicis infundiendo a Lorenzo su prudencia, cogió mi mano entre las suyas y bajó los párpados en señal de asentimiento, luego me soltó afectuosamente y me dio la espalda.

Los cuatro denunciados acudimos ante el tribunal de la Signoria y fuimos interrogados, negando cualquier práctica nefanda por nuestra parte; sólo reconocimos la normal algazara y juerga nocturna entre gente joven. No se presentaron pruebas, nadie osó testificar contra un Tuornabuoni. Supongo que la imperiosa mano de doña Lucrecia había inmovilizado las de los magistrados y repartido dádivas con largueza a cuantos fue necesario, incluido el propio Saltarelli. En el procedimiento, el alguacil se refirió a mí como Leonardo, hijo natural de Ser Piero da Vinci, notario: ¡hijo natural! ¡El tribunal se dirigió a mí en estos términos! A la humillación de ser acusado se sumó la degradante sorpresa de ser tratado de bastardo. Delante de aquel tribunal y frente a tamañas acusaciones no era el mejor momento para encajar la penosa y desconcertante noticia. Sodomita y bastardo.

Yo no había osado recurrir a mi padre ni pedirle que ejerciese su influencia —pues la tenía como notario que era de la Signoria— para no disgustarlo. Ahora, cuando era tildado de bastardo, lo primero que hice al salir de la declaración fue ir a su casa. Se vio forzado a reconocer la verdad ante mí y ante su segunda mujer —mi padre enviudó cuatro veces, caso rarísimo—, y lo hizo con su despreocupación habitual, como si la cosa no fuera con él o fuese lo más normal del mundo. Como es lógico, le pregunté inmediatamente quién era mi madre, y aquí se mostró evasivo, refiriéndose a Vinci y la montaña de Anchiano. Fue la primera vez que me enfrenté a él, exigiéndole precisiones que no se atrevió a darme. Salí indignado, prometiéndole que era la última vez que me vería. Ni siquiera me importó perder su apoyo ante el tribunal de la Signoria: me apañaría como pudiera.

Nos convocaron una segunda vez. Yo acudí más mortificado por mi recién descubierta condición que por la acusación en sí, que en Florencia resultaba ridícula. Tampoco se presentaron pruebas: nadie acudió a testificar, ni siquiera en falso. La larga mano de Lucrecia Tuornabuoni había tapado las bocas. Fuimos absueltos. Los amigos me dijeron que los tres menestrales habíamos sido comparsas en la maniobra dirigida contra el clan de los Médicis, pero yo sabía que Fioravante era una flor peligrosa en un coto vedado y que mi relación con él me había hecho odioso al poderoso Salutate. El amor, Francesco, nunca me llevará a la hoguera, aunque me consuma por dentro con su fuego, ese fuego que sólo está en el pensamiento y que, por lo mismo, sólo alimento yo. Me dediqué a la filosofía y a otros amigos menos conflictivos, como Atlante Migliarotti, que tañía muy bien la lira, y a Zoroastro de Peretola —en realidad se llamaba Tomaso y era hijo de un jardinero—, un tipo estrafalario, ingenioso, que se pretendía bastardo de un Rucellai, mecánico, orfebre, se las daba de mago y adepto a las ciencias ocultas, grande, feo y tuerto, y que parecía un cíclope; pero muy divertido y leal. Con qué insistencia me pediría años después que acabara las alas del gran pájaro para poder volar, y los batacazos que se propinó con ellas son los recuerdos más desairados y divertidos de mi vida. Con estos nuevos amigos no volví a tener problemas con la justicia: después de todo media Florencia estaba en lo mismo, el poeta áulico Poliziano, Ficino —Pico no creo porque era demasiado místico para actuar en carne mortal—, ¡tanta gente!, que sería indiscreto además de interminable enumerarlos. ¿Por qué me iban a condenar a mí?

De todos modos, aunque absuelto, no olvidé aquella humillación. Dios vende sus dones al precio de la fatiga y no otorga el placer sin contrapesarlo con dolor. Yo no podía ser joven, bello, dotado para las artes y las técnicas sin pagar mi precio en sufrimiento y humillación. Y vive Dios que fueron intensos. A partir de aquel momento comencé a pensar en abandonar Florencia. Visto desde aquí y ahora, pienso que acerté: en Milán gocé de una posición privilegiada que jamás me hubiesen otorgado los florentinos. Al desencanto con mi padre, mis ciudadanos y con el propio Fioravante, que desde aquel episodio me rehuyó, se sumó el declinar de Florencia, plasmado en diversos sucesos que culminarían con la macabra conjura de los Pazzi contra los Médicis.

Fue un día de Pascua: en la catedral de Florencia, la familia Médicis asiste a misa; en medio de una gran muchedumbre se encuentran Lorenzo el Magnífico y su hermano Juliano. Han acudido a la iglesia caminando desde su palacio en compañía de varios amigos. Lorenzo salió con su joven huésped Rafaello Riario; tras él lo hizo Juliano, acompañado por Franceschino Pazzi y Bernardo Bandini. Francesco de Pazzi abraza afectuosamente a Juliano, pasándole su brazo por la cintura en señal de familiaridad. Es la misa solemne de Pascua. Cuando se llega al momento de la elevación, el cardenal arzobispo de Florencia alza la hostia y todo el público se arrodilla y se inclina en señal de devoción. En ese momento, Juliano, que se encontraba en el lado norte del coro, es atacado por la espalda por Bernardo Bandini y Franceschino Pazzi. En postura genuflexa y con la cabeza inclinada, presentaba el mejor blanco para sus enemigos. Un enorme tajo en el cráneo da cuenta de su vida. En el mismo instante, Mafei y Stefano atacan a Lorenzo, pero, no siendo tan profesionales en el asesinato como Bandini, sólo consiguen herirle en el cuello. Lorenzo, con gran presencia de ánimo, se quita inmediatamente la capa, la enrolla en el brazo izquierdo a guisa de escudo y, sacando la espada, rechaza a sus atacantes, salta la barandilla del presbiterio y, corriendo por delante del altar, se refugia en la sacristía. Bandini, que había acabado con Juliano, se precipita hacia la sacristía para atacar a Lorenzo, matando por el camino a Francesco Nori, que le sale al paso. Poliziano y otros dos amigos de Lorenzo cierran las pesadas puertas de bronce de la sacristía antes de que Bandini pueda alcanzarla. Una vez dentro, Antonio Ridolfi sorbe la herida de Lorenzo por si el arma estaba envenenada. La iglesia es un clamor, nadie entiende nada. Cuando, poco a poco, la gente se percata de lo que ha sucedido, buscan a los criminales; pero éstos, aprovechando la confusión general, ya han abandonado la iglesia. El joven cardenal Rafaello Riario se refugia en el altar mientras uno de los que estaban con Lorenzo en la sacristía trepa para mirar y ve el cuerpo de Juliano tendido al lado del coro, al tiempo que constata que los conspiradores han huido. Al cabo de un rato, Lorenzo, herido y absolutamente consternado por el destino de su hermano, regresa a casa con sus amigos.

Ni siquiera me encargaron pintar la ejecución de los culpables en esta conspiración; el honor fue a parar a Botticelli. En Florencia, para entrar en el círculo de Lorenzo había que ser literato o halagar a Ficino y Poliziano, ir a clases de griego y leer a Platón, so pena de ser considerado, como yo, «*huomo senza lettere*». Sé bien que, por el hecho de no ser literato, algunos presuntuosos se creerán con derecho a criticarme. ¡Estúpida pretensión! ¿Acaso ignoran que podría responderles como Mario a los patricios romanos: «Esos que se adornan con los trabajos de otros pretenden cuestionar los míos»? Sostendrán que mi inexperiencia literaria me impide expresarme debidamente sobre los asuntos que trato. No saben que lo que necesito es la experiencia y no las palabras de otros. La experiencia, maestra del buen escritor, es a ella a quien me remito. Aquellos que, en una discusión, invocan diversos autores no demuestran inteligencia, sino buena memoria.

¡Qué trampa tan común y satisfactoria son las palabras! Con ellas no hay que moverse de casa ni de la mesa para creer que se ha comprendido y explicado el mundo. ¡Míseros mortales, abrid los ojos! Las palabras son sólo sombras de la realidad, y sombras deformadas, incompletas, sin matices. Creéis recubrir la realidad con vuestras redes de palabras y la realidad se escapa por todos los agujeros, por ese inmenso lapso indeterminado que hay entre concepto y concepto. La realidad es inmensamente más compleja que las palabras y por eso es imposible conocer el todo usando la parte. ¡Qué herramienta tan burda las palabras! El nombre petrifica las cosas como si en la realidad hubiese algo fijo. Todo fluye, ¿cómo representarlo con palabras fijas, que no fluyen? Sólo el símbolo, que es abierto y ambiguo, tiene la flexibilidad para cambiar en función de la realidad a que se aplica. Los sabios han hablado siempre en símbolos —parábolas, aforismos, poemas— y no con argumentos aristotélicos. Por eso Heráclito era oscuro, porque llegaba mucho más lejos, donde Aristóteles no le podía entender. Sólo los mediocres creen que la lógica les resolverá los enigmas de la vida.

Además, muy pocos se percatan de que ni siquiera los pensamientos y emociones más privados, que creen íntimamente suyos, lo son en realidad. Porque pensamos con lenguajes que no hemos inventado y sentimos con imágenes que otro nos dejó. Copiamos reacciones emocionales de nuestros mayores, lo que está bien y lo que no. Lo virtuoso y lo asqueroso no lo he decidido yo, lo recibí de niño sin preguntarme mis preferencias. Cuando las he ejercido, a pesar de todo, he sido denunciado por aquello que para mí es belleza y placer. ¿Por qué he de sentir con las emociones de mi padre o pensar con las palabras de mi abuelo si yo puedo inventarme otras y soy vulnerable a otros sentimientos?

¿Por qué no me envió Lorenzo a Roma con los otros —Botticelli, Ghirlandaio, incluso Perugino— cuando el papa Sixto le pidió pintores para su capilla? Está claro que Lorenzo no me tenía por un artista, sólo me conocía, o quería conocerme, como músico. Su idea fue enviarme a Milán para regalar una lira a Ludovico el Moro.

Yo no me sometí, como Miguel Ángel, a los dictados de un humanista para realizar mis obras. Él sí, cuando esculpió su combate entre los centauros y los lapitas, aceptó ser guiado por Poliziano mientras trabajaba. Yo no adulé al grupo de los platonistas que se reunían en Careggi, aunque me entendí bien con Ficino y quizás con Pico della Mirandola, porque el uno era gozoso y el otro hermoso. Recuerda la máxima que Ficino había pintado como cenefa alrededor de su estudio; he procurado guiarme por ella: «Todo va del bien hacia lo bueno, regocíjate en el presente, no des valor a la propiedad, no busques honores. Evita el exceso, evita la actividad. Regocíjate en el presente.» Aquellos hombres intentaron vivir así y creo que lo lograron en más de una hora afortunada de dorado y quieto esplendor.

Como todas las grandes ciudades, Florencia es diosa y madre implacable, tiene la lista más nutrida de hijos ilustres que jamás haya producido ciudad, pero si les dio mucho, mucho exigió de ellos. Por eso me fui. Quizás hubiese sido más sensato quedarme. Ese algo excesivo que sobrepasa los límites en mi forma de ser no lo he controlado bien desde que me alejé del rigor toscano. Por eso quiero considerarme Leonardo el florentino y Dios sabe que, por lo que he hecho y donde he vivido, pueden llamarme un hombre de todas las estaciones. Florentino es un apodo que suena a flores y flautas en labios de efebos, aguas lamiendo viejas paredes, luna en los cipreses, murmullo de fuentes, angostas calles entre altivos palacios, un delicado mancebo de ojos violeta, una viola que suena en la noche de seda, eruditos platónicos en terciopelo negro, un ramo de lirios, una copa de cristal copto, el centelleo de un puñal, la llamada de una canción carnavalesca, una hoguera para las vanidades y para aquel que la encendió, un verso de Dante, incienso para Santa María o para Platón, apóstol del furor erótico, Cibeles con sus leones, Afrodita entre rosas pálidas, un desfile deslumbrante y un guante de hierro. Una ciudad dulce, cruel, caprichosa, voluble, sólo constante en cosas espléndidas, bellamente desesperada porque su religión artística desea un señor de invencible belleza no crucificada. Como yo, nunca comprendió al Dios doliente. Necesita un dios suave y austero, como el paisaje toscano.

«TERRIBILE E SOAVE»

Cuando llegué a Milán en 1482 la situación era sumamente feliz: desde la caída del Imperio romano, Italia no había disfrutado tal prosperidad o conocido una situación tan favorable como la que encontró tan seguramente reposada en aquellos años. Por doquier reinaban la mayor paz y sosiego, la tierra se cultivaba no sólo en las fértiles llanuras sino también en las regiones áridas y montañosas; dominada por ningún otro poder que el propio, Italia abundaba en habitantes, mercancía y riqueza, alto renombre le reportaban la magnificencia de ilustres príncipes, el esplendor de numerosas nobles y hermosas ciudades, la sede y majestad de la religión, el florecimiento de hombres hábiles en la administración de los asuntos públicos, distinguidos e industriosos en todas las artes. Tampoco carecía de gloria militar a la altura de los tiempos; adornada con tales dones, gozaba de merecido prestigio entre todas las naciones.

Muchos factores la mantenían en tal estado de felicidad, que era consecuencia de varias causas, pero mis coetáneos solían acordar entre ellas no poca medida a la actividad y habilidades de Lorenzo el Magnífico, tan eminente entre sus conciudadanos en Florencia que los asuntos de aquella república se gobernaban según su consejo, y no sólo aquélla, pues tal era su renombre que su persona era juzgada con alta estima en toda Italia y su autoridad influía en deliberación de asuntos comunes. Concluyendo que sería peligroso para la república florentina y para él mismo si alguna de las mayores potencias extendía su área de dominio, vigiló cuidadosamente que la situación italiana se mantuviese en un estado de equilibrio, sin inclinarse más hacia una ciudad que a otra, lo cual no podía conseguirse sin preservar la paz y vigilar diligentemente para prevenir cualquier incidente, por nimio que fuese. El rey Fernando de Nápoles compartía ese deseo común de paz a pesar de las intrigas de su hijo Alfonso contra Ludovico el Moro por usurpar el trono milanés de su yerno. El propio Ludovico tenía interés en una entente con Florencia y Nápoles para contrarrestar a los poderosos venecianos y porque le era más fácil mantener su autoridad usurpada en la tranquilidad de la paz que en las perturbaciones de la guerra. Por eso mismo, al existir el mismo deseo de paz en Fernando, Ludovico y Lorenzo, en parte por las mismas razones y en parte por distintas, fue fácil mantener una alianza entre Nápoles, Milán y Florencia. Esta alianza fue ratificada en 1480 por casi todos los poderes menores de Italia y renovada por veinticinco años. El principal objetivo del pacto era evitar que Venecia deviniese más poderosa, puesto que ya era más fuerte que cualquiera de ellos por separado, pero mucho más débil que todos juntos.

Gobernaba Milán, por usurpación, Ludovico Sforza, apodado *el Moro*, suave y benigno, sensible, sutil y emotivo por temperamento, generoso con los artistas, deslumbrado por un sueño de magnificencia pero debilitado por carecer de una cualidad que cualquier otro déspota de su tiempo derrochaba: la virtud amoral de la valentía. Así como Lorenzo de Médicis, en plena crisis política, tuvo la osadía de presentarse indefenso en la corte de su enemigo Ferrante de Nápoles, donde concluyó con él una paz milagrosa para la estabilidad de Italia, Ludovico, que hubiese sido incapaz de eso, llamó en su timorata debilidad al rey de Francia para que le apoyara, con lo que labró su ruina y la de todos nosotros.

Yo fui feliz en Milán como no lo fuera antes ni después, pero caí con él y por mi propia debilidad, ya que me presté a desembarazarlo del legítimo heredero a quien él suplantaba. Sabes muy bien que los Sforza eran arribistas que quitaron la señoría de Milán a los Visconti, baldón que pesaba sobre su linaje de baja extracción, pero además Ludovico había suplantado al legítimo heredero Juan Galeazzo, su sobrino, a quien mantenía preso en una jaula de oro alegando protegerlo por su enfermiza constitución. Yo me presté a precipitar la muerte de aquel deleznable desdichado y ello constituye el remordimiento más siniestro de mi conciencia, aunque esta vez no fuese denunciado como en Florencia ni descubierta mi artera ponzoña. No quiero ocultarte nada porque el amor nace del conocimiento y deseo que de mí lo sepas todo y me aceptes o rechaces enteramente como soy.

Cuando hice mi entrada en Milán nada de esto podía presagiarse, ni siquiera en el Tarot de los Visconti. Era una ciudad opulenta y esplendorosa, salpicada de aromas de Oriente, con el que comerciaba a través de Venecia y Bizancio, traficando en mercancías de oro y plata y piedras preciosas, marfil, canela y especias, incienso, vino, trigo, y mercancía de caballos y carruajes y esclavos y almas humanas.

Milán es una ciudad con mestiza sangre de celta y cartaginés, godo, latino, franco y sarraceno; el este impregna Milán con miasmas de satrapía oriental, como si los huesos de los Reyes Magos que reposan en San Eustaquio tiñeran de fuegos fatuos la densa atmósfera que no le permite, como Florencia, amanecer en la clara mañana de Atenas. Milán es más turbia que Florencia porque hizo y deshizo dioses con Constantino, Juliano y Ambrosio.

Lorenzo de Médicis fue un poeta y Florencia era su corte, su imaginación contagiaba a burgueses y plebeyos, para no hablar de los artistas; no cantaba para corromper a su pueblo, como piensa el desconfiado Maquiavelo, que necesita encontrar motivos insidiosos incluso para los actos espontáneos, sino para convertirlos a su imagen y semejanza: irónicos, tiernos, voluptuosos. Los torneos eran un triunfo de la ciudad; su hospitalidad, la cortesía de Florencia; las colecciones mediceas, su museo, su mesa estaba parada para cualquier literato, un jardín abierto a todos los artistas, unos más que otros.

Ludovico el Moro, en cambio, tenía algo de sátrapa oriental, déspota rodeado de criados para atender sus halcones, caballos, galgos, cisnes, monos y pavos reales, símbolos y efigies que placen a los poderosos. Debo reconocer que preferí la delicada ostentación de esta corte a la aprobación crítica de una ciudad libre porque mi egoísmo necesitaba un patrón principesco cuyos deseos extravagantes dieran rienda suelta a los míos: Ludovico, Luis XII, César Borgia, Hipólito de Este, Juliano de Médicis, Francisco I han sido mis protectores y amigos, porque yo era un déspota también en mis ansias intelectuales: despiadado, sin escrúpulos, cruel, fastuoso como ellos. Como ellos, he tenido una actitud altiva que es cuestión de belleza más que de bondad. Yo los comprendía y ellos me apreciaron, y nunca he perdonado a Ludovico su fracaso, precisamente porque las inhibiciones y temores paralizantes que causaron su derrota eran huéspedes demasiado familiares en las entretelas de mi corazón.

Mi estancia en Milán me afectó insidiosamente. No porque mis talentos se alterasen; al contrario, los perfeccioné. Pero cambió su correlación: aunque conservé la claridad de visión florentina, mi ironía se rebeló más de una vez contra la ostentosa suntuosidad milanesa, que gradualmente, como por ósmosis, me fue empapando en su atmósfera sensual, penetrando, insinuándose en los recónditos laberintos del alma, con la apaciguadora mansuetud sedante de luces húmedas y aguas que se evaporan. En Milán, la lucidez intelectual sólo podía salvar su claridad separándose de los colores densos y perfumes, las músicas cargadas, las imágenes rutilantes. La razón pura tuve que retirarla como un monje —y con un monje, fra Luca Pacioli— hacia los gélidos procesos abstractos de la geometría. Así nacieron mis tratados sobre la luz, las cúpulas, la mecánica, la perspectiva, como defensa y protesta de la razón frente a la sensualidad invasora de la corte milanesa. Pero no creas que mi lado voluptuoso quedara anulado; antes al contrario, cuanto más cultivé la razón, algo en mí se fue sumergiendo solazadamente en una penumbra de purpúrea tiniebla alimentada de espaciosos sones, de perfumes y tactos hasta crear un misticismo de los sentidos que, con adormidera y mandrágora, conjuró para mí la visión de ambiguas formas hermafroditas. De ahí nació mi *sfumato* y mi sonrisa andrógina.

En Milán me percaté de que mi personalidad placía a los grandes señores y de que mi conversación los deleitaba; desde el día que llegué y me presenté ante Ludovico con la lira de nueve cuerdas tensadas sobre una cabeza de caballo cincelada por Verrocchio supe que mis dotes de *improvisatore* me granjearían más ventajas que mis conocimientos científicos. Decidí usar lo uno para dedicarme a lo otro, aunque reconozco, a fuer de sincero, que me halagaba causar tan buena impresión y que el protocolo del cortesano no me aburrió más que a otros. Tuve mis caballos propios, y mis músicos, y pajes de cabellos rizados como ángeles vestidos de verde y rosa, mis guantes bordados y botas de cuero turco, mi atuendo de seda y pieles. Mis discípulos debían ser, en teoría, bien nacidos y hermosos como tú, Francesco, pero las tinieblas del corazón me llevaron a proteger mancebos como Salai, que sólo eran bellos. ¿Por qué un hombre como yo deseaba seres abyectos y desleales que me trataron sin respeto, devolvieron mal por bien y me humillaron como si en mi denigración se estuviesen vengando de algo? ¿Acaso preferimos tener al lado gente que nos maltrate? ¿Por qué? ¿Tan acostumbrados estamos al elogio público que deseamos en casa un verdugo opresor? Tú no conociste a Salai de adolescente, pero te habrán puesto al corriente las almas caritativas. Yo no lo conocí hasta bien entrada mi estancia en Milán. Al principio, mi vida se llenó con la amistad de los cortesanos, pues obtuve en Milán un recibimiento que los austeros y cerrados aristócratas florentinos jamás me dispensaron. Cultivé la amistad de Cecilia Gallerani, lo cual me abrió todas las puertas.

Cualquiera que cometa la temeraria osadía de vivir para la belleza sentirá su cuerpo perturbado y gastado por el deseo inalcanzable, buscará refugio o sedante en sabores sutiles, tactos mórbidos o bien se drogará de algún modo hasta insensibilizarse. Yo opté por la riqueza esplendorosa de los sentidos; las cosas color de vino, sedosas, perfumadas, armoniosamente sonoras fueron alimento de mi psique; pero nunca fui libertino, salvo en el derroche de tiempo.

Tuve que entender el complejo carácter del duque Ludovico. Nada fácil, pues había en él un factor que desconcertaba mis intuiciones: su creencia en la astrología. El médico y astrólogo Ambrogio da Rosate dirigía su vida: no podía emprenderse un viaje, recibir una embajada o consumar un matrimonio sin el augur. Los astros le fueron propicios hasta que, súbitamente, le abandonaron, y él, inerme, acabó de labrar su propia ruina. Algo parecido a lo que le sucedió a César Borgia, aunque éste sufrió una concatenación de desgracias más potentes que Ludovico, y no era cobarde como él.

Ludovico era sutil y corrupto, pero sin exagerar; hedonista delicado, no fanático, demostrando que el vicio pierde la mitad de su maldad cuando no es grosero; era un sátrapa dulce y sutil, como se le ve en los retratos: el pelo espeso cayendo en ondas, ojos soñadores, nariz fina y aquilina, labios sensuales, tenía cara de niño bueno, y eso era el colmo de su paradoja. No era fácil estar a su altura y no tratarlo en simple adulador, cosa que, por otra parte, pronto le hubiera cansado. Le conquisté por la música.

La música, Francesco, es, de todas las cosas que existen en este mundo, naturales o artificiales, la que me ha dado mayor placer con más infalible seguridad. Mis horas con la música me regeneran; todavía hoy es lo que me causa mayor solaz, ella me llena de energía por un proceso sutil que penetra hasta los más recónditos humores de mi cuerpo. La música es representación de cosas invisibles; así como la pintura puede reproducir con fidelidad todo lo que el ojo ordena a la mano, hay en la percepción humana un conjunto de experiencias invisibles que son las emociones y sus estados de ánimo, que he intentado expresar en pintura por el gesto, el movimiento, el semblante; la música lo hace mucho mejor porque, invisible como las emociones, estirada en el tiempo como ellas, las recubre más exactamente. La emoción es una pulsión de los nervios que va de dentro afuera, la música los pulsa viniendo desde fuera; y cuando la alada armonía toca los nervios de mi sensibilidad levanta en ellos la emoción. Y una vez despertada, la modula y la acuna, la lleva en volandas con la melodía, la mece y la cambia de dirección con los intervalos, las bajadas o subidas de nota. La catarsis que Aristóteles pedía a la poesía y la tragedia, la música la consigue en grado superlativo porque ella es el lenguaje de las emociones, tanto que Pitágoras guardó entre sus secretos que la llave de la emoción es la música y cada estado de ánimo corresponde a una clave armónica.

Cuando estoy agitado me distiende, cuando débil me vitaliza, cuando melancólico me apacigua suavemente. Es la comida del alma, y tan segura como el alimento del cuerpo: se tiene a mano con un poco de fortuna y se puede disfrutar a cualquier hora teniendo en casa los instrumentos. Yo he sido bueno con el laúd y la viola, tuve por maestro a Gaffurio, de quien ilustré la *Practica musicae* donde mi querido amigo exponía la noción de la armonía. Si te digo que en la corte de Milán estaba Josquin des Prés te harás cargo del nivel en que nos movíamos. Tenía a mi disposición el taller de Lorenzo Gugnasco de Pavía que fabricaba órganos, laúdes, clavecines y violas; con él confirmé mis estudios sobre la propagación de sonidos que verás en mis cuadernos. Tú sabes que entré en Milán por la música, que utilicé la lira como salvoconducto para ganar la admiración del Moro. Solía tocar para mí o en la corte cuando algún personaje importante me lo rogaba; luego, poco a poco, como Verrocchio abdicó en mí sus pinceles, yo dejé la lira a Atlante Migliarotti para que este compañero, que se vino conmigo desde Florencia, tuviera un puesto en la corte. No le fue mal, le dieron el primer papel en la *Favola d'Orfeo* que escribió Poliziano y que se cantó en el castillo de Mantua, creo que hacia 1490. No le volví a ver hasta hace seis años, en Roma, donde era verificador de los trabajos de arquitectura del Vaticano y les daba la murga a Bramante y Miguel Ángel. ¡Queridísimo Atlante!, fue uno de mis mejores amigos de juventud, que son los que suelen durar. Me dirás por qué también lo era el estrafalario Zoroastro de Peretola, a pesar de las barrabasadas que perpetraba a diestro y siniestro como si todo le estuviera permitido precisamente a él: te diré que la amistad es una adhesión a la persona y no a sus obras, que si fuésemos amigos por lo que hacen, no nos quedaría ninguno. La amistad es un misterio de simpatía oculta, inexplicable, irresistible, hermana mayor del amor, al que sobrevive; es más longeva que él y menos exigente.

Además de la música usé otra llave para penetrar en la corte de Milán: Cecilia Gallerani, la amante del duque, que era la reina de Milán, y continuó siéndolo aun después de que éste se casara políticamente con Beatriz de Este. El castillo era tan grande y las costumbres tan libres que la amante siguió viviendo en palacio, incluso tras el matrimonio de Ludovico, aunque al final la esposa legítima le debió de acorralar y él la casó con un viejo y complaciente marqués. En realidad, el drama de Milán, la tragedia de Ludovico el Moro, surgió del conflicto entre tres mujeres: Cecilia Gallerani, la amante; Beatriz de Este, la esposa, e Isabel de Aragón, esposa del sobrino y legítimo heredero. Pero en mis primeros años milaneses no había tensiones: Cecilia tronaba indiscutida, desbancando persistente y a la larga cualquier nueva amiga del duque. Ahora bien, con la llegada de Beatriz de Este e Isabel de Aragón el panorama se complicó, la tensión fue creciendo y los celos de Isabel impulsaron a Ludovico a la decisión que causaría su ruina. Tantas veces ocurre que detrás de la política está una situación personal.

Pinté el retrato de Cecilia Gallerani, lo cual me granjeó la amistad de la señora y la gratitud del déspota. Llegaron otros encargos, un tríptico sobre la Inmaculada Concepción que, como yo vivía en casa de los Predis, pinté con Ambrogio de Predis. Tuvo tanta aceptación que hicimos dos, el segundo más de Ambrogio que mía, yo sólo pinté el ángel Uriel. Me dirás qué tiene que ver esa Virgen sentada entre las rocas con la Inmaculada Concepción. No mucho, supongo, es mi manera de hacer las cosas: pongo las figuras que los frailes me piden: María, Uriel, Jesús, Juan, pero la visión es mía y para mí la Inmaculada Concepción es el misterio de la Madre y la Naturaleza. Déjame explicarte por qué.

El ojo es la ventana del alma, canal principal por el que el sentido común tiene conocimiento completo y detallado de las infinitas obras de la naturaleza. Si los historiadores, poetas y matemáticos no han visto las cosas con sus propios ojos, no podrán expresarlas adecuadamente en sus escritos. Los que estudian a los antiguos y no las obras de la naturaleza son nietos y no hijos de la naturaleza, madre de todos los buenos autores. Es preciso saber ver.

Nada fácil: no es lo mismo mirar que ver. Mirar es volver los ojos hacia fuera para que la luz nos traiga formas y colores; ver es aceptar esa percepción y acomodarla en el interior, mezclarla con lo que somos, lo que pensamos y recordamos, lo que estamos sintiendo en ese momento. Tal como eres, sólo así puedes ver. Cuanto más seas más verás. Por eso, la libertad es una mirada cambiada y la sabiduría el cambio de la descripción del mundo que entra por los sentidos hacia una mayor comprensión y penetración de los significados secretos de las cosas. El mundo es un inmenso jeroglífico, las cosas tienen sus rúbricas en su forma, que está indicando lo que son —no tanto en sí mismas, que nada separado existe, sino en relación con lo demás—. El sabio capta las armonías subyacentes entre las cosas y por ello sabe usarlas para sus fines si tiene el supremo don de acción que consiste en esperar el momento adecuado.

Desde que pinté el paisaje del Arno cuando tenía veintiún años encontré fácil imitar a la naturaleza; cuanto más exactamente representaba lo que veía más me percataba que, tras los objetos exteriores que tan fácilmente podía copiar, yacían escondidos secretos a cuyo conocimiento valía la pena dedicar mis esfuerzos. Me apliqué a investigar las leyes que rigen la formación de las rocas y los vegetales, las bases de la proporción y la armonía, las reglas de la perspectiva, la composición y color de los objetos, el efecto de luz y sombra sobre un espacio; por encima de todo, la variedad del semblante humano, en el cual se presenta al ojo no sólo el carácter permanente de la persona sino también el talante de las emociones pasajeras. Deseoso de imitar a la naturaleza en sus operaciones, busqué los elementos que me permitirían representar sus cualidades interiores ocultas por medio de los perfiles exteriores. Cuán arduo, no, cuán presuntuoso fue este propósito lo vemos fácilmente si consideramos que la naturaleza misma, al trabajar desde sus reservas intrínsecas, se ve forzada a preparar un infinito número de medios antes de ser capaz, tras muchas pruebas, de desarrollar una formación orgánica para producir un ser como el hombre; el cual, en verdad, manifiesta las más altas perfecciones internas, pero parece más bien aumentar el misterio en que la naturaleza se envuelve que explicarlo. La naturaleza está llena de infinitas razones que nunca se manifestaron en la experiencia. Ése es el gran misterio: la relación —no quiero hablar de causa, porque sería restringir la relación a un sólo tipo— entre lo intrínseco y lo manifiesto, entre la razón formativa interior y su concreción visible en experiencia. Para mí, el mundo es un ser vivo, ninguna cosa nace en lugar donde no exista vida sensitiva, vegetativa y racional; nacen las plumas sobre el pájaro y se mudan cada año; nacen los pelos sobre los animales y cada año se mudan, salvo algunas partes como los pelos de las barbas del león, y del gato y similares; nacen las hierbas sobre los prados y las hojas sobre los árboles y cada año se renuevan en gran parte; por tanto podemos decir que la Tierra tiene alma vegetativa y que su carne es la tierra, sus huesos los estratos de conglomerados pétreos que componen las montañas, su médula la lava, su sangre las vetas de agua; el lago de sangre que está dentro del corazón es el mar océano, su aliento es el crecimiento y decrecimiento de la sangre por los pulsos, y asimismo en la Tierra es el flujo y el reflujo del mar; y el calor del ánima del mundo es el fuego, que está infuso en la Tierra, y la residencia del ánima vegetativa son los fuegos, que por diversos lugares de la Tierra espiran en baños, minas de azufre, volcanes, y en el monte Etna de Sicilia y otros lugares parecidos.

Si la naturaleza es toda ella un ser vivo, la forma material de las cosas es el resultado del poder formativo del espíritu, eso que los antiguos llamaban «*anima mundi*», que es tan cierta o dudosa como la supuesta alma humana. Pero lo que sí me consta es que la belleza no puede residir sólo en las dimensiones de las facciones porque vemos un mismo semblante bien proporcionado ensombrecerse hasta la fealdad cuando lo atraviesa una emoción de furia, rencor o espanto; es el poder formativo del estado de ánimo interior el que, actuando sobre unas proporciones correctas, genera la belleza. ¿Y los que nacen feos? Supongo que les habrá tocado una alma fea, pero ¿acaso pueden ser feas las almas? En cuanto a la definición del espíritu, dejo esto a los frailes, padres del pueblo, quienes por inspiración conocen todos los misterios. Para mí, toda expresión, tanto bella como desagradable, será resultado del poder formativo de la emoción —efímera— o del estado de ánimo —más duradero—; el paso de muchas complexiones pasajeras quedará marcado en los rasgos del semblante. Igual sucede con las formas naturales: sus rasgos, en este caso su forma, son el paso de fuerzas formativas interiores. La concha de un molusco, esas maravillosas espirales son la petrificación de un diagrama de fuerzas: y así, del mismo modo que un poema es un monumento al instante, la forma de una concha es el monumento a un equilibrio de fuerzas actuando sobre una materia fluida original que ha terminado por petrificarse, como se endurecen los huesos del feto a partir de la carne y los fluidos. La maravilla es que el feto sabe cómo tiene que crecer y no se equivoca. ¿Quién se lo dicta?: el poder formativo del espíritu.

Pues bien, en esa Virgen entre las rocas yo quise expresar el secreto del Alma del Mundo y de la Madre —inmaculada o no— como dispensadora de sus energías. Para mí, el símbolo que representa la naturaleza es la Madre, no la madre de Dios, sino la del mundo, el eterno femenino que es el espíritu del valle y que nunca muere porque recoge todas las aguas. A través de la madre yo no veo, como los cristianos, al hijo, sino a la naturaleza toda, por eso he puesto la Virgen a la salida de grutas donde surgen manantiales. Ella es la personificación de la gruta y el agua, de la roca y los vegetales que la recubren.

Un día, vagando por las montañas me encontré en la boca de una caverna y me detuve en el umbral, cubriéndome los ojos con la mano cegado por la penumbra. De pronto se alzaron en mí dos sentimientos: miedo y deseo; miedo ante la oscuridad amenazadora de la cueva, deseo por ver si allí dentro se escondían cosas maravillosas. Así he vacilado, sobrecogido, antes de entrar en el antro materno de la naturaleza, cuyos secretos nadie ha desvelado antes de mí. He observado tantas cosas que no están en Plinio ni en Ptolomeo o Isidoro que las he confiado a estos cuadernos que tú guardarás después de mi muerte. Haz con ellos lo que te plazca, y piensa que en ellos hay muchos conocimientos que servirán a los que, detrás de mí, investiguen la naturaleza con el mismo rigor. Por otro lado, no he querido pintar Madonas con nimbos, resecas y planas como un icono bizantino, cosa de la que no se libró Giotto y muy poco el Angélico, yo he seguido la innovación de Masaccio, el más grande pintor de Florencia, que puso rostros humanos, vivos, llenos de carácter a sus santos y Madonas. Tampoco he querido pintar alas doradas o de pavo real a los ángeles, a los que identifico por su naturaleza andrógina, porque el sexo de los ángeles —digan lo que quieran los teólogos— es doble: masculino y femenino a la vez. Ellos son los entes hacia los que tiende el ser humano, el estado al que llegará cuando supere su actual cuerpo dividido, incompleto y carente. La Virgen es una dama y el ángel un efebo. No hace falta más, ni auras ni alas, su esencia debe aflorar de su rostro.

Terrible y suave es el amor, como todos los sentimientos que llegan al fondo de las cosas, pues en lo más profundo no hay luz o tiniebla, bien o mal, sino esa fusión de opuestos en el espacio vacío donde ser y no ser se llaman. Terrible y suave lo he vivido yo con Salai, Ludovico con Cecilia, tantos y tantos desde Fedra e Hipólito hasta Abelardo y Eloísa. ¿Te has fijado que hay situaciones que no cambian, que las generaciones siguen amando, como polillas en torno a la luz, deslumbradas hacia el foco abrasador que las atrae en espiral hechizada irresistible hacia su propio sufrimiento en la llama de amor viva?

Mis días, meses, años en Milán hubiesen sido un desfile de placeres si no hubiese encontrado a Salai, si Ludovico no hubiese encelado a Beatriz y ésta a Isabel de Aragón. Beatriz de Este, la esposa de Ludovico, era una adolescente de catorce años cuando se casó —él tenía diecisiete—, y así como su hermana Isabel de Este, la «*prima donna dil mondo*», se amaba a sí misma, Beatriz amaba a su marido y era celosa, además de caprichosa y amantísima del lujo. Su talento se centraba en pensar suntuosas vestimentas, por ello el poeta oficial la llamó «*novarum vestrium inventrix*». Sus guardarropas en Milán y la villa veraniega de Vigevano —donde tuve que diseñarle un laberinto con grutas— eran como las sacristías de las grandes catedrales. Hilos de oro y plata engarzaban perlas sobre sus brocados, ¡cuántas cenefas y entrelazados he tenido que dibujar para que ella luciera una nueva «fantasía del Vinci» en manga o ceñidor; pero si diseñé sus trajes, a ella no la retraté nunca, no me perdonaba la pintura de su rival Cecilia Gallerani. Qué le vamos a hacer, imposible escapar del fuego cruzado entre dos mujeres. Me usó como decorador y modisto: sus estancias habían de ser doradas, sus caballos enjaezados con blasones, sus perfumes mezclados en Samarcanda, sus vajillas ornadas con fábulas; me obligaba a inventar alegorías para distraerla y emblemas para sorprenderla.

La vida era un juego para ella, hasta el punto de que, cuando se sintió mal, danzó toda una velada hasta caer rendida y expirar. Tenía veintiún años: murió bailando. ¡Cómo la comprendo! ¿Acaso no es la vida una danza sobre fuego y agua? Que los átomos vuelvan a los átomos, pues todo lo compuesto se ha de disgregar.

Se hacía traer los músicos de Flandes y de Italia. Iacopo de San Secondo era su violinista, ese que sirvió de modelo a Rafael para su *Apolo en el Parnaso*; tenía un clavicordio que enfermaba de envidia a su hermana Isabel, tenía un bufón y un enano monstruoso vestido de oro como una princesa, tenía al elegantísimo Calmeta como secretario y al cortés Cristoforo Romano para cantarle, cosa, vive Dios, de la cual me libré. Ella no me tuvo nunca demasiada simpatía, aunque me toleraba como ornamento de su marido.

La tercera en discordia era Isabel de Aragón, «*madonna infelicissima, unica in disgrazia*», como ella misma se describía. Su desgracia causaría la de todos: la caída del Moro, la invasión, nuestra dispersión, mis años errantes y dolorosos. Isabel era orgullosa, como hija de rey, y cuando casó con el frágil Juan Galeazzo lo hizo para ser duquesa de Milán, no sobrina del regente. Su orgullo ambicioso acabaría con todos. Ella me quería, puesto que su rival, Beatriz, no me apreciaba; me había tomado simpatía desde el día en que diseñé la ópera del Paraíso para agasajarla. Mis trajes, yelmos, armas y sobre todo el aparato mecánico de aquel artilugio de esferas celestiales le encantaron. Siempre estuve a su lado, le hice el pabellón de baño en su parque de Pavía, donde quería que los surtidores manaran tres partes de agua caliente por cuatro de fría. Era un placer trabajar para ella por la viveza de su trato, a mí me ha atraído siempre la vitalidad: creo que con vitalidad, los que nacen dotados de ella, se llega a todo en la vida. Su tragedia fue que no le sirvió de nada por la perfidia del Moro y las fuerzas desmesuradas que ella invocó en su contra. Italia entera se ha perdido en manos de franceses y españoles por culpa de su despecho.

Las amantes de Ludovico, Cecilia Gallerani, Lucrecia Crivelli, sus amigas Visconti, Sanseverino, Montpensier, Fiordelisa Sforza, Trivulzio, Borromeo, formaban como una corte de mujeres. Eran legión, pues Ludovico amaba desmesuradamente; yo, que las amaba parcamente, me adapté a ellas, proveyendo sus fantasías más que sus necesidades; era su cortesano: retraté algunas, canté para todas, les diseñé máscaras para sus fiestas y entrelazados para sus brocados. Mi gusto por las fruslerías me ha compensado del ensimismamiento tedioso en que me sumen los grandes temas cuando me dejo llevar por ellos. Así como las florentinas eran agridulces, rápidas, severas, ingeniosas, estas milanesas bañaban en una tibieza mórbida, como de luz en alabastro, y como ella sus carnes se esponjaban en la humedad del ambiente perfumado y lujoso. Si por un lado la ciencia me absorbía en múltiples investigaciones, el lado femenino me sacaba de ellas con esa oscura sabiduría que algunas mujeres parecen comunicar respirando y sintiendo. Ese misterio que es el sexo, que el ascetismo intelectual puede negar pero no destruir, me inquietó más y más, hasta desbordarme.

El gran favorito del duque, y de las damas, quizás lo uno viniera de lo otro y no sé en qué orden, era Galeazzo da Sanseverino, hijo del condotiero. Le hubiese convenido más al duque mimar a Trivulzio, gran noble, sabio estadista y hábil general, que se fue con los franceses cuando Ludovico le dijo un día: «¿Quién de nosotros puede explicar por qué razón amamos a un hombre y odiamos a otro?» Galeazzo sabía fascinar como nadie porque no se lo proponía, era caballeresco, dotado del don innato de la gracia, galante soldado y algo diplomático. Como el duque estaba muy ocupado en asuntos de Estado —o con sus amantes—, puso a Sanseverino de caballero sirviente de su esposa, a quien lo que le gustaba era inventar juegos y diversiones. Cuando Galeazzo aparecía vestido de blanco, pluma al viento y zapatos dorados, más equipado para Venus que para Marte, no habrías reconocido al hombre que nos visita a menudo aquí en Amboise. También él se vino con el francés cuando Ludovico acabó mal. Ya éramos muy amigos en Milán, me gustaban sus gestos, su aire y, sobre todo, sus caballos.

Vivían también en el castillo y eran cortesanos Gaspar Visconti, que escribía sonetos a Beatriz en letras de oro sobre pergamino rojo, Niccolò da Correggio, que ganó un torneo poético en honor del dios Eros, y Antonio Tebaldeo, bello, ingenioso y siniestro, íntimo del cardenal Hipólito de Este, mi mejor amigo en esos días. Hipólito era un hombre hermoso y peligroso hacia quien yo sentía la afinidad con que me acerco a las espléndidas fuerzas devastadoras de la naturaleza: vendavales, inundaciones, el poder de caballos indómitos; había cegado a su propio hermano porque una dama, creo que una Borgia, admiraba más los ojos del otro que los suyos; era muy robusto y mantenía un cortejo de atletas, luchadores, acróbatas y un séquito de pajes magníficos elegidos por su belleza. La corte incluía filólogos, que acudieron a Milán atraídos por Ludovico, como el gran Filelfo, que huyó allí desde Florencia con su mujer griega, sus manuscritos y su reputación de conocimientos helénicos. Merula, el sol de Alejandría, Ermolao Barbaro, que se carteaba con Ficino, y los griegos Láscaris y Calcocondilo. Gentes que venían de Venecia, Calabria, Florencia, Perugia o la misma Grecia. Ante ellos tuve que proclamarme *«huomo senza lettere»*, dado su talante pedantesco y quisquilloso: nunca he discutido con nadie. Es inútil. ¿Has conocido algún caso en que otra persona cambie de ideas después de un argumento? Yo no. Las ideas cambian cuando mueren los que las adquirieron —normalmente de jóvenes—. Las ideas de juventud se preservan con una excesiva fidelidad, como si en los años mozos las nociones se grabasen al fuego en un nervio tierno que luego se osifica hasta devenir inmaleable. No así con los matemáticos; son los únicos que, por su modo de deducir, están abiertos a aceptar un teorema nuevo que contradiga sus conclusiones. Luca Pacioli me cayó bien por eso y con él estudié las propiedades de los sólidos platónicos, que dibujé para su tratado sobre la *Divina proporción*. ¿Te acuerdas de mi dibujo de un hombre con los brazos en cruz dentro de un círculo y un cuadrado? Era para comprobar que las proporciones humanas guardan la armonía universal, representada por el círculo y el cuadrado, las formas más perfectas, y en ellas cuadra el hombre exactamente, que por eso los antiguos le llamaron el microcosmos, y debes saber que el hombre es el modelo del mundo. Yo no sé si está hecho a imagen de Dios, pero sí guardando armonía con las formas de la creación, un mundo en sí mismo, y por ello digno del respeto que lo armonioso merece. Lástima que desentone a menudo, y entonces ya sabes a lo que se reduce: un conducto de comida y excremento. Pero cuando está a la altura de su posible belleza, entonces entre las grandes maravillas que existen en el mundo, Francesco, ninguna es comparable al hombre en sí mismo.

De astrólogos y alquimistas tuve que sufrir algunos, como el impertinente Ambrogio da Rosate, que se empeñaba en trazar mi horóscopo: según mi fecha de nacimiento soy Aries, pero te diré sin rubor, porque contigo mi modestia no necesita sufrir, que tengo en mi carácter todos los signos del zodíaco. Mi pregunta a Rosate fue: «¿Qué influencia podéis predecir en mi caso, aparte de todas?» Si creyese en la mala estrella, no me habrían faltado ocasiones para tenerla, tanto mi vida ha basculado inesperadamente, pero no es el avatar de fortuna lo que me amarga, sino el trato humano: soportar a los imbéciles, mediocres, fanfarrones, ineptos, aduladores, volubles y débiles. El ser humano es así, ¡qué razón tiene Maquiavelo cuando lo describe!, y tengo para mí que aún se queda corto. Este cuerpo en proporción con las divinas armonías alberga unas mentes endebles, ondulantes, discordantes, antojadizas, inconsistentes.

Por un Pacioli que encuentras, o un Hipólito, hay docenas de Rosates.

De un hombre que conocí entonces te hablaré bien porque puedes encontrarlo en el futuro y te será de gran apoyo: es Baldasare Castiglione. Aprendió latín con Merula y griego con Calcocondilo, venía a verme cuando yo pintaba la *Última Cena* y su conversación siempre fue deleitosa, cosa de agradecer cuando te pasas el día en lo alto del andamio esperando que el fresco seque. Allí venía con sus amigos Fregoso, Gonzaga, Médicis a discurrir sobre pintura. Para ellos comencé a escribir las notas que han germinado en tratado y que encontrarás entre mis cuadernos.

Mi gran triunfo como cortesano fue el baile de los planetas, también llamado Fiesta del Paraíso. El asunto no fue tan inocente como suena; ni siquiera éste. En Milán no dan una puntada sin hilo, y menos que nadie Ludovico el Moro. Como estaba usurpando el trono de duque de Milán a su sobrino, para salvar las apariencias le dejaba presidir las fiestas. El Moro se ocupaba de los ocios de Juan Galeazzo, lo apartó de los asuntos públicos organizándole los placeres, fomentando incluso sus vicios a fin de debilitarlo y corromper su voluntad: lo encerró en Pavía en un círculo de fiestas, juergas, lujuria y depravación incesantes, con jóvenes de su sexo, según se dice. Cuando se casó con Isabel de Aragón, según me contó mi amiga Isabel de Este, nueve meses después la esposa aún era tan virgen como al llegar.

Ahí empezaron las quejas de Isabel de Aragón que tan fatídicamente nos afectarían a todos. Se quejó, sin duda, a su abuelo, pues Ferrante de Nápoles amenazó con no pagar los doscientos mil ducados de la dote si no se consumaba el matrimonio. Ya sabes que la Iglesia sólo disuelve matrimonios por tres motivos muy fuertes: no querer tener hijos, no consumar y tener el aliento nauseabundo, de modo que el joven marido inoperante tuvo que explicarse públicamente ante magistrados, médicos y clérigos. Invocó una cierta debilidad nerviosa; los murmuradores insinuaban que el Moro había embrujado a su sobrino. Qué buenos ratos pasé viendo cómo Ambrogio da Rosate tenía que desmentir las cargas contra él, sufrir las miradas de soslayo, los silencios súbitos cuando él entraba. ¿Por qué no reír del ridículo ajeno cuando cae sobre un insoportable engreído? El Moro decidió acabar con los rumores que ya se propagaban fuera de Milán honrando a su sobrino como duque en una gran fiesta, aconsejado sin duda por el inevitable Ambrogio —al que había nombrado conde de Rosate por curarle una grave enfermedad, algo sabría el astrólogo–. Nadie está donde está porque sí, aunque sea un pedante. Además, no vamos a negar a estas alturas la influencia de los astros, aunque sí niego la influencia de los astrólogos, que engorda la credulidad de los simples. Por suerte, el tema de la fiesta se avenía con mis gustos.

Bellincioni escribió el libreto, Josquin des Prés le puso música y yo me encargué de todo lo demás: trajes, decoraciones, mecanismos, efectos. Dejé estupefactos a los rebuscados milaneses. Comenzó con presentaciones, danzas, desfile de máscaras, cabalgata turca; una cúpula de ramaje disimulaba el techo de la sala, paneles pintados expresamente contaban episodios de la historia antigua y los altos hechos de la casa Sforza. Cuando suena medianoche, el Moro, vestido a la oriental, ordena cesar la música y se abre el telón revelando un vasto hemisferio figurando la bóveda celeste, dorado el interior, donde numerosas antorchas imitaban las estrellas, provisto de zócalos donde aparecían figuras humanas representando los planetas según su rango. Detrás de esta esfera, separados por un cristal, iluminados por antorchas y reflejados en espejos, se perfilaban los doce signos del zodíaco. Los planetas, vestidos según la descripción de los poetas, giraban armoniosamente en sus órbitas mientras se oían numerosas melodías y cantos dulces y suaves. Quise así representar al oído y ojo humanos la música de las esferas que los pitagóricos oían en su éxtasis espiritual, creo que acerqué todo lo posible lo material a lo invisible, que sugerí lo intangible, como el arte debe intentar, que para eso sirve. Después, bajando a lo prosaico, las divinidades planetarias descendían de su zócalo para declamar los elogios a Isabel de Aragón compuestos por Bellincioni: Júpiter da gracias a Dios por engendrar una mujer tan bella y virtuosa, Apolo se declara celoso de un ser más perfecto que él, etc. Ludovico lucía el diamante *Sancy* de Carlos el Temerario, Beatriz el *Lupo*, diamante con tres perlas de raros orientes, Isabel llevaba el *Spigo*, rubí enorme, como sangre y lágrimas cristalizadas. ¿Dónde están ahora esos tesoros, el caduceo de Ludovico incrustado de perlas, la calcedonia donde grabé la cabeza de Antínoo? Menos mal que el Moro no logró adquirir como pretendía la fabulosa colección de camafeos romanos de Lorenzo el Magnífico; ahora estaría perdida. Eran los tiempos en que se dijo —imperdonable y funesta fanfarronería— que Ludovico el Moro tenía al emperador de condotiero, a Venecia como tesorero, al rey de Francia como cortesano y al papa de capellán. Supongo que lo dijo el propio Ludovico. La Fiesta del Paraíso dio sus frutos. Pocos meses más tarde, el embajador de Ferrara me comentaba: «La duquesa Isabel está embarazada y el duque Juan Galeazzo sufre del estómago por haber trabajado demasiado el terreno.» Tengo para mí que este hijo que la fiesta engendró fue el principio del fin. Con un hijo, Isabel de Aragón tenía algo por qué luchar. Lo que no se atrevía a requerir para su débil marido lo quiso lograr para su hijo: el trono ducal de Milán, que Ludovico les estaba usurpando. Recurrió a su abuelo el rey de Nápoles, y ahí comenzó la catástrofe.

SALAI

«El 23 de abril de 1490 he comenzado el libro sobre la luz y la sombra, y recomenzado el caballo. Giacomo ha venido a vivir a mi casa el día de Santa María Magdalena; tiene diez años.» Yo tenía treinta y nueve cuando escribí esto. «El segundo día le hice cortar dos camisas, un par de medias y un jubón; pero cuando aparté el dinero para pagarlos me lo robó del monedero; aunque no logré hacérselo reconocer, tengo la certeza absoluta. Gasto: cuatro libras. Ladrón, mentiroso, tozudo, glotón. Al día siguiente, cuando cenamos con Jacomo Andrea de Ferrara, Giacomo se comportó groseramente en la mesa, comió por dos, rompió tres vasos, vertió el vino y se fue a terminar la comida donde... Luego Giacomo robó en el taller el punzón de plata de Marco d'Oggione, que valía veintidós sueldos. Lo buscamos por todas partes, apareció en la caja del niño. En todo el año me gasté en él, para hacerle un guardarropa decente: una capa, dos libras; seis camisas, cuatro libras; tres jubones, seis libras; cuatro pares de medias, siete libras ocho sueldos; un traje, cinco libras; cuatro pares de zapatos, seis libras cinco sueldos; un gorro, una libra; lazos de cintura, una libra.»

Qué extrañas, impersonales, grotescas anotaciones de contable escribí en mis diarios, que ahora releo con sonrojo. ¿Acaso me engañaba a mí mismo con este tono árido y frío? Lo que no quiero en modo alguno es engañarte a ti: para eso no me tomaría el esfuerzo de escribirte. Quiero que sepas cómo Giacomo, al que conoces por Salai, entró en mi vida. Ya comprenderás que a un aprendiz no se le viste de pies a cabeza el día que llega a casa, ni nunca. Salai fue mi capricho, mi verdugo, mi humillación. Ya te he dicho que ciertas personas —cuanto más inteligentes o situadas más proclives— se complacen perversamente en el vértigo de la autohumillación. Y así como cuidarse consiste en que le cuiden a uno, la manera más segura de humillarse es que le humillen a uno. Sabrás que puse a Giacomo el apodo *Salai* porque es una palabra árabe que significa espíritu maligno, un diablo.

Una noche, saliendo de una fiesta en el palacio del cardenal Hipólito de Este, me fui con uno de sus atletas. Allí había para escoger: desde el nubio ágil y veloz hasta el armenio lento, pesado y duro; yo había escogido un lombardo de ojos azules y anchos hombros del que me había encaprichado por su voz, sus modales altaneros y su mirada insolente. Como aquella noche me poseía una vena aventurera preferí seguirle a su casa en vez de traerlo a la mía. Entre bromas y veras, risas e insolencias provocadoras, nos fuimos alejando del centro, las casas devenían primero destartaladas y desconchadas, luego más pequeñas y bajas; por fin llegamos a una especie de chamizo junto a uno de los canales que comunicaban la ciudad con el río; la humedad subía por las paredes de aquel tugurio y la palpé al empujar la puerta, pues el risueño Hércules me cedió el paso con graciosa inclinación. El fuego del hogar era un rescoldo, de modo que tuvo que alumbrar un candil: había una mesa, varios escabeles, un arcón y la cama. Cuando caímos en ella me di cuenta de que ya estaba ocupada: unos ojos enormes, acuosos, oscuros, me observaban desde una cara de ángel diabólico ornada del pelo más hermoso que me haya sido dado contemplar jamás; cascadas de ámbar, ondulaciones y rizos de ambrosía del manantial de la eterna juventud rodeaban aquel rostro irresistiblemente ambiguo, como un fauno preservado por el dios Pan para infiltrarlo entre los ángeles cristianos, algo como Iblis pintado por Benozzo Gozzoli. Sus ojos no se apartaron de los míos mientras yo estaba con su hermano: no quiso marcharse; antes bien parecía dominarnos y dirigirnos a los dos con su mirada insondable. Salí de aquella choza traspuesto, herido por el don fatal de la belleza maligna, algo que quien no haya probado no puede ni llegar a intuir. En esta vida rutinaria y poco brillante rozar una de esas emociones que están más allá del bien y del mal es, para un espíritu como el mío, la más irresistible de las intoxicaciones. Salí de allí ebrio de suavidad y terror; sentí con meridiana clarividencia que ya no podría pasarme sin el amor y el dolor que aquel ser pánico estaba destinado a infligirme. Lo demás lo sabes tú bien, pues le has conocido, aunque ya mayor.

En teoría entró en mi casa como chico de los recados y posible aprendiz de pintor. Su hermano no opuso la menor dificultad a cedérmelo en nombre de su padre, un campesino habitando lejos de Milán. Giacomo se había escapado de casa porque odiaba trabajar en el campo y su inaudita belleza le daba esa confianza innata de los que osan tomar el destino en sus propias manos. ¡Y qué manos, qué piernas, y qué cuerpo! Si algún día llegaras al mismo grado de enamoramiento, cosa que no te deseo, con un ser como aquél, no se lo envidiarías a tu peor enemigo. Yo lo quise para mí con esa temeridad que me empuja al límite de las situaciones para destilar el jugo de la vida. No sabría decirte si erré o acerté, tan mezclados son mis sentimientos respecto al único ser que me poseyera en toda mi vida y que jugara conmigo como yo estaba acostumbrado a hacerlo con los demás. He tenido siempre las mujeres y los hombres que he querido porque era hermoso, fuerte, gentil y famoso: sólo Salai me tuvo a mí. Piensa, Francesco, que cuando estés solo serás todo tuyo. Y no está solo, aunque se aparte a un desierto, aquel que lleva otra persona deseada en su mente, sin poder apartar a voluntad el pensamiento obsesivo sobre ella.

Pero no fue mi abyecto apego a Salai la peor bajeza que perpetré en Milán; hubo algo mucho más deleznable, espantoso, innombrable y que, como suele suceder, pasó inadvertido, ¡tal es la justicia del mundo! No quiero pensar cómo será en el otro. Mi locura por Salai, en cambio, fue del dominio público; muchos me vieron haciendo el ridículo, humillado por aquel bergante. Por ejemplo, Galeazzo da Sanseverino, que era el cortesano más completo, agraciado, gentil de aquella época pletórica de hombres consumadamente educados, decidió dar un torneo con disfraces y me encargó diseñar las máscaras, ornamentos y escenografía; confeccioné unos vestidos de hombres selváticos —con la divisa: «Salvaje es el que se salva»— para los palafreneros; fui al palacio de Sanseverino para probar los trajes y revisar los demás preparativos del torneo. Me llevé a Salai pensando que le gustaría conocer la casa de un gran señor, lo cual contribuiría a su educación. Siempre me ha gustado relacionarme con gente rica y hermosa porque uno acaba siendo lo que come y se come por los cinco sentidos y por la inteligencia, de modo que me llevé a Salai para alimentar su buen gusto. Estaba yo con Sanseverino y el entonces joven Baldassare Castiglione cuando oímos tumulto en las caballerizas; al punto llegó uno de los palafreneros con Salai cogido por las orejas: al parecer se estaban cambiando y había dejado su bolsa encima de la cama, lo cual había aprovechado el botarate para vaciársela. Éstas eran las gracias ocultas de Salai que yo tuve que tolerar y taparle a cambio de otras gracias absolutamente aparentes y que tú mismo conoces. Ya sabes lo incómodo que resulta encapricharse de un tipo impresentable cuando uno frecuenta compañías exquisitas: la doble vida confluye en una cuando menos lo deseas, entonces el ridículo público es el precio que pagamos por nuestro placer privado, y te puedo asegurar que Salai me resultó más caro en vergüenza que en libras. ¿Qué hubieras hecho tú? ¿Qué puede hacer un hombre enamorado de la belleza cuando se encuentra con su ideal de hermosura encarnado en cuerpo mortal? Sanseverino y Castiglione, en perfectos hombres de mundo, no dieron la menor importancia al asunto, considerándolo disputa entre criados, pero aquel miserable me habló con tal familiaridad delante de ellos que mi oprobio fue ineludible porque además de ladrón era orgulloso y se vengaba haciendo público su poderío sobre mí, así el siervo se venga del amo cuando éste deja el menor resquicio; quien se salta las categorías sociales por sucumbir a un capricho debe prevenirse contra las resacas inesperadas del placer en todas sus formas, y debo confesar que para mí ésta era la menos llevadera: no se puede salir airoso a la vez de la corte y los establos.

Parece que mi mano, que es capaz de ejecutar todo cuanto mi ojo le ordena, se resiste a escribir lo que mi mente ha ocultado tanto tiempo, y por eso te cuento cosas de Salai cuando había comenzado con intención de confesarte mi crimen. Comenzaré por el principio: de todas las mujeres que he conocido, tratado, pintado o dibujado hubo una que amé a mi pesar, en secreto y esta vez sin que trascendiera, no sólo porque ella era un prodigio de inteligencia y discreción sino sobre todo porque era la amante de Ludovico el Moro. Una de ellas, para ser exactos, pero la más constante, duradera, imprescindible incluso para aquel incorregible mujeriego. Cecilia Gallerani era la niña de sus ojos. Me encargó que pintara su retrato; yo la grabé en mi corazón. Posaba para mí en sus aposentos del castillo, pues el Moro, aun después de casarse con Beatriz, la tenía viviendo junto a él; la casa era grande. Ella posaba para mí con un traje abierto que descubría sus hombros, un largo collar de perlas negras como sus ojos, y me miraba fijamente con esos ojos grandes, alargados, impertinentes. Esas miradas de mujer que, en el momento que acabas de conocerla, parece que ya te están pidiendo una explicación. Yo le di muchas, pues nunca me ha faltado conversación; le contaba fábulas y ocurrencias para hacerla reír por ver si suavizaba el ceño, pero no había manera: en cuanto dejaba de sonreír caía sobre su rostro la dura máscara de la mujer bella que además es intensa, una máscara de hierro, inatacable, que sólo pide y no parece ser capaz de dar. ¿Por qué me atraen estos seres ególatras que creen que todo les es debido? Supongo que por la seguridad en sí mismos que emanan: si te gusto bien, si no también, parecen decirte con su mirada insultante, su sonrisa suficiente.

Como a todo individuo exigente, sólo me atraen aquellas personas que intuyo superiores o al menos suficientes, y sobre todo las que presentan un enigma, aquellas en quienes intuyo un fondo que a muy pocos será dado descubrir. Cecilia me pidió —o debería decir ordenó— posar con un armiño entre los brazos; aquella alimaña orgullosa y astuta como ella realzaba la oscuridad de sus ojos y su pelo, que le envolvía el óvalo perfecto de la cara. Hay mujeres que han recibido el don innato de atraer; por más que he analizado dónde o en qué reside este atractivo no sabría explicarlo: la mirada, sin duda, el rictus de los labios, los gestos, las palabras, pero además hay un efluvio invisible pero perceptible, como una aura que las rodea y te envuelve si te acercas a ellas. Muy pocas lo tienen, pero las que te irradian ese desconocido efluvio tibio y envolvente pronto atrapan al temerario que se acerca demasiado a ellas, como la antorcha acaba quemando al insecto que se le acerca hechizado, revoloteando en espiral hacia su luz. Supongo que a ella la divertía la idea de atrapar una mariposa nocturna de grandes alas coloreadas, puesto que yo era lo más parecido a eso en hombre; ya sabes cómo vestía y cómo me movía de joven y no tan joven.

La debí de retratar bien pues Bellincioni dedicó un soneto que, como todo lo suyo, era elogioso hacia su mecenas el duque, pero donde se dignaba citarme: «*Di qui t´adiri? A che invidia ha natura? Al Vinci che ha ritratto una tua stella; Cecilia! Si bellisima hoggi e quella, che a´suoi belli occhi el sol par umbra oscura... ringratiar dunque Ludovico or puoi et l´ingegno e la man di Leonardo...*», etc., cosas de Bellincioni, que sólo era mal poeta cuando le pagaban por rimar. Yo nunca pinté mal por el hecho de que me pagaran; al contrario. Yo no trabajo para ganar dinero, gano dinero para trabajar a mi gusto y a mi ritmo. Por eso acepto encargos de mascaradas, decorados y nimiedades. Con ese dinero vivo suntuosamente para poderme dedicar a lo que realmente me interesa. Y sirvo a quien me paga.

Un día me acerqué más de la cuenta a mi modelo y aquel día ella no posó ni yo pinté más. Tampoco voy a hablar más de ello, sólo te diré que la relación con esta mi diva amantísima me reportó satisfacción y sabiduría, y los celos de Isabel de Este, que, de algún modo inconcebible para mí, detectó mi proximidad a Cecilia y, no sé por qué, maniobró para ocupar su puesto, al menos como modelo. Al final la dibujé en Mantua porque no tuve más remedio cuando huí de Milán y me brindó hospitalidad. Creo que incluso llegó a pedir a Cecilia que le enviase su retrato para comparar méritos. ¿Será posible que la envidia anide también entre los poderosos? Parecía como si Isabel, a pesar de ser duquesa de Mantua, se sintiera menos por no tener un retrato de mi mano, tales son las cosas en que se empeñan los que ya lo tienen todo.

Lo importante es que mi devaneo con Cecilia trajo consecuencias terribles y no por el lado que podía esperarse. Ella siempre estuvo con el Moro, aunque le costó aceptar su papel de amante tras haber estado a punto de conseguir el de esposa: una vez comprendió que la alianza de Milán con Ferrara pesaba más que todas sus gracias, que los asesores del Moro y la oligarquía milanesa exigían un matrimonio de Estado, pasó a un segundo plano de favorita en la sombra —en la sombra de la parte este del castillo, donde la visitaba asiduamente el recién casado—, se dedicó a componer sonetos que nos leía a sus amigos y a llevar cuenta de los asuntos más secretos del Moro, que la consultaba con esa confianza ilógica pero efectiva que se tiene en los seres que nos hacen disfrutar en la cama. Así, Cecilia llevaba en su cabeza los equilibrios de fuerzas de Milán y aun los de Italia entera, algo que no cabía en cualquier cabeza, y la suya era excepcional —por eso me fascinaba—, podía discutir conmigo un axioma de Euclides, que ella leía en griego, o corregir a Luca Pacioli sobre lo que realmente había implicado Pitágoras cuando medía las armonías en cuerdas. Recuerdo una velada memorable. Ludovico estaba en uno de sus viajes de aparato, creo que a Venecia. Luca y yo fuimos a cenar a sus aposentos, Cecilia le preguntó cordialmente a Luca por qué la divina proporción era exactamente 1,61 y no 1,72 o 2,13; el bueno de Luca que, como suele pasar a los matemáticos, saben demasiado para exponerlo en pocas palabras, no sabía por dónde empezar. Tuve que ayudarle dibujando la concha en espiral de caracol marino y medir para Cecilia las relaciones entre sus radios sucesivamente aumentados en la misma —y divina— proporción.

¡Qué tema tan hermoso el de las proporciones en la naturaleza, la armonía, en fin, la belleza! Deja que me aparte otro rato de mi dificultosa confesión y te explique por qué son bellas las cosas bellas. ¿Has pensado por qué unos colores entonan y otros chirrían? Mira la naturaleza, allí hay colores que tus padres, abuelos, bisabuelos, hasta Adán y Eva, han visto; sus matices y combinaciones se han grabado en el ojo hasta que aquello que los asemeja se ve bello y lo que se aparta feo. Lo mismo con un rostro: las proporciones entre labios, ojos, cejas, pómulos, frente, mentón, cabello, sus texturas, sus colores, los que más se acercan a asociaciones agradables son los preferidos: una piel que recuerde al terso, aterciopelado y húmedo pétalo de rosa será preferida a una piel color ceniza, seca, gris, marchita. Unos ojos de amatista, como si dos gemas de color violeta hubiesen cobrado vida y fuesen cristales en las ventanas del alma, ¡cómo no van a fascinar soberanamente, mucho más que los simples ojos grises o castaños! ¿O es que vamos a preferir una castaña a una violeta? Por repetición de impresiones, por sutiles asociaciones de colores y formas que sugieren otras cosas placenteras, por esa intuición innata capaz de saber, dada una cosa, cómo ha de perfilarse el tipo más perfecto de su clase, llegamos a la noción de lo bello y lo feo. Desgraciado el que nace feo. Esa tristeza yo no he conocido porque desde que Verrocchio me usó de modelo para su *David* y lo he visto acabado, frente a mí, no he podido albergar dudas sobre mi belleza. Pero los feos, pequeños, los que se desvían de lo habitual por un rasgo errático, deforme, inusual, ¿qué pueden pensar del Creador? Si Éste, en su infinita sabiduría, ha tenido la misericordia de hacerlos tontos, tienen el consuelo de no pensar, pero si por lo que sea nacen feos e inteligentes, entonces apártate de ellos porque su amargura interminable los mueve al resentimiento contra todo el ancho mundo, especialmente los de su especie más agraciados que ellos.

Cecilia era bellísima, inteligente, rica y poderosa. Las dos primeras cualidades dependían de ella, las otras dos no, pero derivaban de las primeras. Así suele ser cuando Dios distribuye los dones sin parar mientes en compensarlos equitativamente, cosa que no parece quitarle su sueño eterno. Sólo hay una salida para corregir en la Tierra estos descuidos del Creador: abolir la noción de lo bello. Inevitablemente desaparecería el concepto de feo. Supongo que alguien bello e inteligente inventó un día insidiosamente la distinción entre feo y hermoso y, como ellos son los que dominan siempre, la impuso para que los inteligentes hermosos la perpetuaran y se aprovecharan de ella, cosa que han conseguido. Los feos, por inteligentes que sean, lo tienen mucho más difícil para apoderarse de la riqueza y el poder, así que no podrán nunca cambiar esta lacerante, injusta, egoísta definición de las cosas.

Cecilia tenía toda la política de Italia en su cabeza y los intereses del Moro en su corazón. Usaba magistralmente su belleza para tener riqueza y poder, que sólo le interesaban para no aburrir su inteligencia. Los tontos, que no descansan nunca de serlo, no se aburren, se aburren los inteligentes, a menos que ingenien medios para distraer sus exigentes anhelos. Yo no me he aburrido nunca porque, cuando ya no sé qué hacer, me dedico a contemplar, indagar y seguir las intrigas entre mujeres; con eso, un hombre inteligente no puede aburrise nunca: ¡qué finura, qué crueldad, qué paciencia, qué hipocresía! Es fascinante. Allí en Milán tuvimos un trío insuperable: Cecilia, la amante; Beatriz, la esposa, e Isabel, la desposeída. Si no fuera porque el bellísimo juego de odios e intrigas entre las tres trajo la invasión francesa y la ruina de Italia, hubiese sido un gozo intelectual contemplar cómo se despedazaron. Ya sabes cómo acabó: Beatriz muerta, histérica, frenética, matándose en un baile cuando se sintió enferma; se suicidó danzando, lo cual te da una idea de aquella criatura frívola y ambiciosa que se creía con derecho a todo porque era una Este y había casado con Ludovico; Isabel viuda de su enfermizo y degenerado esposo, el legítimo duque de Milán, cuyo puesto usurpó de facto Ludovico mientras apaciguaba sus cortas luces con halagos y sus febriles impulsos eróticos con costosas voluptuosidades; Cecilia casada con un viejo marqués y rodeada de poetas a sueldo que le dan coba. Espero que se esté aburriendo.

Isabel de Aragón era orgullosa. Heredó el tenebroso rencor de su abuelo el rey Ferrante de Nápoles, al que escribió la fatídica carta que desencadenó la tragedia de Italia. Cuando Ludovico tuvo por fin un hijo de su legítima esposa Beatriz, Isabel constató que lo bautizaban con pompa real y les daban de lado a ella y su marido, que eran los legítimos duques de Milán. Entonces perdió toda esperanza de ocupar el trono por el cual se había casado con el débil enfermo y enloqueció de envidia. No midiendo el efecto de sus actos, exigió venganza al rey de Nápoles. Isabel escribió a su padre: «Han pasado muchos años, padre mío, desde que me casaste con Juan Galeazzo, con la condición de que, a su debido tiempo, sucedería al cetro de su padre y ascendería al trono de Galeazzo y Francisco Sforza y de sus antepasados Visconti. Ahora él es mayor y ya es padre, pero no tiene aún posesión de sus dominios y obtiene lo necesario para vivir de manos de Ludovico y sus ministros. Ludovico administra el Estado, decide guerra y paz, confirma las leyes, otorga privilegios, impone cargas, oye peticiones y recoge dinero. Todo está en su poder mientras nosotros, sin amigos ni dinero, nos vemos reducidos a vivir como personas privadas. No Juan Galeazzo, sino Ludovico es reconocido como señor del Estado. Destina gobernadores en los castillos, levanta ejércitos, designa magistrados, y evacua todos los deberes de un príncipe. Él es, de hecho, el verdadero duque. Su mujer le acaba de dar un hijo, el cual todo el mundo supone será llamado pronto conde de Pavía y sucederá en el ducado; a su nacimiento se le rindieron honores reales, mientras nosotros y nuestro hijo somos tratados con desprecio, y es con riesgo de nuestras vidas que permanecemos bajo el techo de palacio, del cual nos echaría en su odio envidioso, dejándome viuda y desolada, privada de ayuda y amigos. Pero aún tengo energía y valor propios; la gente nos mira con compasión, y a él con odio y maldición, porque les ha quitado el oro para satisfacer su codicia. No puedo luchar contra hombres y me veo forzada a sufrir todo tipo de humillaciones. Aquí no hay nadie con quien pueda hablar porque incluso los criados nos los ha puesto él. Pero si vos tenéis compasión paternal, si una chispa de sentimiento real o noble aún anida en vuestro corazón, si el amor hacia mí y la visión de mis lagrimas pueden conmover vuestra alma, os imploro acudir en nuestra ayuda y liberar a vuestra hija y yerno del terror de la esclavitud y restaurarlos a su legítima soberanía. Pero si vos no nos socorréis, prefiero darme muerte con mis propias manos que soportar el yugo de extraños, lo cual sería un mal menor que permitir a una rival reinar en mi lugar.»

Supongo que algún cronista se ha inventado esta carta que corrió por Milán en aquellos meses turbulentos, cuyas copias fueron de mano en mano para excitar las facciones, pero yo, que la conocí, creo que expresa acertadamente los sentimientos de la postergada duquesa y que será cierto que su padre exclamó al leerla: «¿Soportaremos que nuestra propia sangre sea despreciada así?» La carta llegó a manos de Ludovico, que entró en un estado de inquietud al que no estaba acostumbrado, él que siempre había tenido la suerte de cara. Aunque el viejo rey de Nápoles se congratuló por su paternidad, él no creyó en las buenas palabras de tan consumado político y averiguó por sus espías lo que se temía: que Nápoles conspiraba con el papa y los venecianos contra él. Intimidado, cometió el único error de su vida como político, pero un error de tales proporciones que acabó con él y con la libertad de Italia.

No quiero aburrirte con un tratado de historia, sólo te diré que Nápoles es de los reyes de Aragón porque a la muerte de Federico II, aquel maravilloso emperador alemán que se rodeó de sabios musulmanes, el papa entregó su reino de Nápoles y Sicilia a la casa de Anjou, los sicilianos se rebelaron contra los franceses, los exterminaron en las truculentas Vísperas y llamaron al rey de Aragón, que estaba casado con la última descendiente del emperador alemán. A Ludovico se le ocurrió recordarle todo esto al rey de Francia, sugiriéndole que viniese a reclamar el trono de Nápoles, que él le abriría el camino de Italia.

Hasta entonces, esta península nuestra era un mosaico de ciudades y pequeños Estados independientes, entre las varias docenas de ellos sólo cinco sobresalían, pero manteniendo un equilibrio entre sí como había concebido Lorenzo el Magnífico: Milán, Venecia, Florencia, Roma, Nápoles. Aquí dentro nos arreglábamos entre nosotros con nuestros condotieros a sueldo, nuestras traiciones y pactos interminablemente cambiados. Introducir en liza un poder extranjero y muy superior en tamaño suponía desequilibrar imprevisiblemente el tablero de ajedrez con fichas nuevas que ya no sabíamos manejar. Además, llamar a Francia suponía arrastrar tras ella a Castilla y Aragón, que acababan de unirse y eran de la familia de Nápoles. Todo eso siguió a la desatinada iniciativa de Ludovico. Pero eso no fue todo.

Isabel, Beatriz y Cecilia me envolvieron en su lucha soterrada e hipócrita. Ellas nunca deban la cara, pero movían los hilos de las marionetas: Sanseverino, Ludovico, Castiglione, yo mismo, para conseguir sus fines. Beatriz, una vez parido el único hijo legítimo de Ludovico, obligó a éste a tratarlo como príncipe heredero; Isabel, al percatarse de ello, incitó a su abuelo, el poderoso rey de Nápoles; Cecilia vino a mí con una idea horrible, imprevisiblemente eficaz y diabólica. Yo me resistí, pero su porfía era implacable: había abrazado incondicionalmente los destinos del Moro y cuando eso sucede, cuando una mujer así apuesta por alguien —cosa que raramente ocurre— se convierte en una fuerza de la naturaleza, una lengua de agua que termina por desgastar la roca más petrea.

Ludovico deseaba reforzar su acceso al trono de la única manera segura que le quedaba: eliminando a su sobrino, el legítimo duque Juan Galeazzo, pues si él existía, el rey de Nápoles acabaría exigiendo que dejase a éste y a su mujer gobernar Milán. Cecilia me pidió que pensara el modo más aséptico de eliminar al inoperante Juan Galeazzo. Yo me debatí hasta que ella invocó la voluntad absoluta de mi mecenas y me amenazó con la desgracia. Yo tenía que acabar el *Cenáculo*, colar en bronce el caballo, cuyo modelo en arcilla ya estaba a punto —tenía siete brazas de alto, era la escultura más prodigiosa jamás vista, que me puso muy por delante del mismo Miguel Ángel como escultor—, mi obra, mi posición, mi prestigio me impedían rechazar una demanda del Moro. Y cedí. Recuerdo que le escribí a Cecilia: «*Amor vincit omnia et nos cedamus amori.*» Más que una confesión de amor, que no sé si sentía, era una queja disfrazada de divisa amorosa. Y tuve que pensar el modo de acabar con el pobre enfermo. El atentado estaba descartado porque inculparía inmediatamente a Ludovico; además, si hubiesen pensado en ello no me hubiesen elegido a mí; debía parecer una muerte natural, coherente con el estado de consunción del enfermizo duque; su mujer vigilaba los alimentos, que sólo dejaba cocinar a una criada napolitana de su séquito, y además tenía un siervo para probar cada plato, costumbre practicada por los Borgia.

¿Por qué lo hice? Debo confesarte que no sentí remordimiento porque una vida no es nada. Posiblemente no lo entenderás: decir una cosa así parece una enormidad, sólo puede entenderlo alguien que no aprecia su propia vida, y ese ser anómalo, noble y grande es aquel que se ha distanciado de tal modo del egoísmo, ha penetrado tanto en el modo de ser de la naturaleza, se ha empapado con tal inteligencia de sus razones que sabe que los hombres —como las plantas, las rocas o los animales— son muñecos de paja en sus manos imparciales. Una vida no tiene importancia, como no la tiene la mía propia. Un tirano usurpa el trono a otro, ¿qué más da? Si no es Ludovico será Juan Galeazzo, si no es un Sforza será un Visconti, si no es un Colonna será un Orsini. Nada hubiésemos ganado con que Milán cayese en manos de Juan Galeazzo: era degenerado, estúpido y débil; los Sforza habían expoliado a los Visconti, éstos ya no recuerdo a quién, ¿quién era legítimo? Nadie. Y menos que nadie yo, nacido bastardo. Yo seguí, como la naturaleza, la línea de menor esfuerzo, fui un insignificante instrumento del tiempo que todo lo consume. ¡Oh tiempo, veloz depredador de las cosas creadas, cuántos reyes, cuántos pueblos has deshecho con los duros dientes de tus años, poco a poco en pausada muerte! Helena de Troya, cuando se miró al espejo, viendo las arrugas surcadas en su cara por la vejez, lloró y pensó por qué había sido raptada dos veces.

Para mantener el don principal de la naturaleza, que es la libertad, he ingeniado medios de defensa y ataque contra ambiciosos tiranos, ¿qué diferencia hay entre derrocar una torre, diseñar una ballesta mortífera o un veneno insidioso y secreto? En la guerra como en la paz, yo estaba al servicio de Ludovico, y su principal enemigo, el más potente por su linaje, era el deleznable Juan Galeazzo.

La carta de Isabel de Aragón al rey de Nápoles impulsó a Ludovico a traer al francés para que ocupase aquel reino. Su ambición confiada le perdió, no supo medir las consecuencias de su decisión fatídica. Su madre le aconsejó en vano: «¡No les enseñes el camino de Italia!» Él no quiso oírla y llamó a los franceses contra Nápoles, luego ya no se los pudo quitar de encima. Todavía pasaron cinco años entre su error y su caída, años en que parecía que aún podría salvarse, pero la eliminación de las causas no siempre elimina los efectos que tienen origen en dichas causas porque, como sucede a menudo, las resoluciones adoptadas por miedo aparecen al temeroso como inadecuadas a su peligro. Ludovico no estaba convencido de haber logrado suficiente seguridad ante los peligros que le amenazaban. En realidad, éstos estaban más en su imaginación timorata que en los hechos; si Ludovico hubiese tenido la serenidad de un Lorenzo de Médicis, que se fue solo a parlamentar con su enemigo, la estabilidad de Italia habría perdurado. La muerte de Lorenzo dos años antes impidió que su diplomacia arreglara las cosas. Peor aún, su hijo Pedro se alió con Ferrante y Alfonso de Nápoles, lo cual acrecentó el recelo del susceptible Ludovico; primero formó una nueva confederación con el papa y el Senado veneciano, pero luego, como no creía en sus propias fuerzas ni en la amistad de los italianos, decidió buscar protección en ejércitos extranjeros. Por eso incitó por todos los medios a su alcance al rey de Francia que retornara a Nápoles, que la casa de Anjou reclamaba. Le ofreció doscientos mil ducados. Carlos VIII los gastó antes de salir de Lyon. Tan inconsistente era el rey francés que estuvo a punto de abandonar la idea, tal como le aconsejaban sabiamente sus pares. En ese momento surgió el ser funesto que entonces, antes y después sería el causante de las desgracias de Italia: el cardenal de San Pietro in Vincoli, Giuliano della Rovere. Tu padre te habrá hablado de él. Obstinado, traidor, ambicioso, déspota, él desencadenó la catástrofe, porfiando sobre Carlos VIII para que invadiera Italia. Entró por Asti en setiembre del 94, trayendo con él la semilla de innumerables calamidades, sucesos horrendos y la pérdida del equilibrio tan hábilmente mantenido. Su paso a Italia no sólo dio pie a cambios de dominios, subversión de reinos, desolación de países, destrucción de ciudades y crueles matanzas, sino también a modas nuevas, costumbres, maneras sangrientas de guerrear, incluso a infecciones desconocidas hasta entonces. Su incursión introdujo tal desorden en las costumbres italianas de gobernar y mantener la armonía que ya no fuimos capaces de restaurar el orden. Y lo que es peor, no tenemos excusa, porque el conquistador que nos cayó encima, aunque dotado de riqueza y fortuna, estaba casi completamente desprovisto de cualesquiera dotes físicas o mentales.

Pude constatarlo por mí mismo cuando el duque Ludovico y su esposa Beatriz llevaron la corte a recibirle en Asti. Ludovico se hizo acompañar de una plétora de nobles y hermosas damas, entre las cuales mi diva Cecilia, y de no menos elegantes y agraciados cortesanos con el divino Sanseverino a la cabeza. No creo que el duque fuera tan ingenuo como para pretender envolver a los franceses en el lujo de las sedas italianas, y mucho menos deslumbrarlos, pues, aunque bárbaros como todos los de más allá de las montañas, el condado de Provenza y el ducado de Borgoña les habían enseñado modales y las gracias de la cortesía.

Vi al rey francés; era un joven de débil constitución y cuerpo malsano, tanto que cayó enfermo de viruelas allí mismo y tuvo al ejército detenido en Asti durante un mes para desesperación de Ludovico, que se temía que los franceses acabaran acampando en Milán. El rey era bajo, muy feo, exceptuando el vigor y dignidad de sus ojos, y sus miembros tan mal proporcionados que parecía más monstruo que hombre. No sólo estaba desprovisto de instrucción y habilidad sino que casi no sabía las letras del alfabeto; su mente deseaba ávidamente gobernar, pero era incapaz de ello, pues estaba rodeado de cortesanos sobre los que no tenía majestad ni autoridad. Deseoso de gloria, pero más abierto al impulso que al consejo, generoso, pero inconsiderado; en la acción, sin medida ni distinción; inmutable en sus decisiones más por mal fundada tozudez que por constancia, lo que nos esforzábamos por ver en él como bondad era más bien frialdad y pobreza de espíritu.

De su ejército lo que me interesó más fue la artillería: esa plaga nueva desarrollada por los alemanes e introducida en Italia por los venecianos. La artillería francesa traía cañones muy superiores a nuestras bombardas por ser más maniobrables, rápidos de carga, usando bolas de hierro en vez de nuestros proyectiles de piedra. La explosión de la pólvora mezclada con salitre era tan violenta, los obuses volaban por el aire con tan estupenda velocidad y horrible tronar que incluso antes de perfeccionarse esta clase de artillería rendía ridículas todas las armas de ataque previas usadas por los antiguos para renombre de Arquímedes y otros inventores. Usaban esta arma más diabólica que humana no sólo en los asedios de ciudades sino en campo abierto. Yo aproveché para dibujar sus dimensiones, proporciones y mecanismos para el momento inevitable en que tuviésemos que combatir contra ellos, cosa que hasta el mismo Ludovico, que los había traído, comenzaba a temer, aunque disimulaba, escudado en su cara hieráticamente sonriente y sus maneras exquisitas. Pero yo pensaba modos de mejorar aquellas máquinas, como hallarás en mis cuadernos de esa infausta e inquietante época.

Lo peor sucedió entonces. Cuando el rey estuvo repuesto de su viruela emprendió la marcha; y cuando pasó por Pavía, yo no sé si de grado o por fuerza, tuvo que encontrarse con Juan Galeazzo Sforza, cuya jaula dorada estaba en aquella ciudad. La entrevista de Carlos VIII de Francia con Juan Galeazzo Sforza de Milán fue patética: un engendro vanidoso dando coba a un enfermizo degenerado. Eran primos pues las madres de ambos eran hermanas. El de Francia debía haber repuesto en su trono ducal al de Milán como era de derecho, pero precisamente llegaba como aliado del usurpador para atacar al padre de la mujer del legítimo; además no se podía reponer a Juan Galeazzo como duque ya que nunca oficialmente había dejado de serlo. La hipocresía rezumaba por las salas del palacio de Pavía, donde nuestro querido Sandro debió pintar un fresco como su *Calumnia* para inmortalizar aquella penosa escena.

El rey y su primo intercambiaron cortesías que Juan Galeazzo formulaba con labios balbuceantes y torcidos por la crápula, las pupilas apagadas bajo párpados carnosos, demasiado cansados de sueño antinatural y cargados de placeres rebuscados. La tensión parecía haberse atenuado entre las nieblas de la hipocresía condensadas en la nube de cortesanos, pero Isabel no era mujer para amilanarse bajo las conveniencias: cuando el rey dio muestras de retirarse, se abalanzó hacia él, se arrojó a sus pies y abrazó sus piernas —por cierto, tan cortas que la cabeza de la duquesa le rozaba allí donde no hubiese llegado en un hombre normal— implorando con toda clase de razones que instaurase a su marido en el ejercicio de los poderes ducales demasiado tiempo diferidos. «¡Tenemos ya un hijo de cinco años y nosotros pasamos la veintena! ¿Qué más hemos de esperar? Si Ludovico el Moro quitó la tutela de mi marido a su madre Bona, por los motivos que fueran, ese cuidado no puede ni debe prolongarse indefinidamente. Mi marido está en condiciones de gobernar, asumiendo plenas funciones como legítimo duque de Milán. La herencia de sangre es lo que legitima la realeza, y vos como rey debéis hacer honor a ella.»

El rey se conmovió, los cortesanos sintieron vergüenza ajena, en el embarazoso silencio murmuró incoherencias tranquilizadoras y salió a toda prisa del salón de Embajadores, donde hasta los frescos de la pared habían enrojecido de rubor. Sucedió lo que suele pasar cuando las verdades no declaradas se ponen por primera vez en palabras: los cortesanos disimulan pero las registran en su memoria, los interesados en su corazón, unos a fuego y otros a hielo. El resultado de todo ello para mí fue la visita de la diva Cecilia.

Yo amaba a aquella mujer, la única que acaricié en mi vida con placer, por su belleza y su cabeza; yo la hacía reír con mis fábulas y bromas, ella me transmitía ese fulgor único que sólo una mujer puede lanzar sobre el varón; su efluvio me penetraba sin que yo hiciese nada para recibirlo, y Dios sabe que hice bastante para detenerlo. Pero su emanación me penetraba aun antes de tocarme. ¿Por qué necesitó seducirme a mí si tenía al personaje más poderoso de Milán? Una vez me confesó que le atraían mi belleza y mi cabeza, mi suavidad y mi alegría.

Aquel día no coqueteó conmigo como solía, no abrió su panoplia de Diana cazadora ante mí ni aceró su ingenio para sacar de mí respuestas irónicas. Fue directamente al grano, con una sinceridad que me desarmó: «¿Conoces algún veneno que mate lentamente y sin dejar señales?» Ante mi respuesta afirmativa y sin querer ver mis señales de alarma continuó: «Además debes ingeniártelas para administrarlo de modo que nadie, ni el catador de manjares, pueda detectarlo.» Era evidente que el destinatario no era persona baladí. «Isabel ha puesto las cosas muy difíciles, el rey de Francia salió descompuesto —cosa fácil en él— de la visita a Juan Galeazzo y no sabemos cómo reaccionará. Ludovico tiene firmado con él un acuerdo secreto por el cual el rey le permite proclamarse duque de Milán si el emperador Maximiliano le confirma, lo cual está pactado también. Pero ¿qué hacer con Juan Galeazzo? Declararlo incapacitado sería factible a no ser por su mujer Isabel de Aragón, que no lo tolerará por ella ni por su hijo —por él le daría igual, tanto ha llegado a menospreciar a su marido—. ¿Te acuerdas cuando ella llegó a Milán para casarse con Juan Galeazzo? Lo pasé muy mal, fueron meses terribles: el Moro se prendó de ella, no con la volubilidad que caracteriza sus numerosos enamoramientos, sino con una pasión que ni yo le conocía. Quería casarse con ella a toda costa. Sin que yo pudiese hacer nada para impedirlo ordenó al astrólogo Rosate que, como fuese, por conjuros mágicos o filtros ponzoñosos, rindiese a Juan Galeazzo impotente, a fin de que, no consumado el matrimonio, pudiese reclamar su nulidad a la Santa Sede. Creo que Ambrogio da Rosate, en su impericia, volvió a Juan Galeazzo tonto en vez de impotente, ya que Isabel tiene un hijo. El Moro llevó tan mal esta contrariedad que se casó enfurecido y resignado con Beatriz de Este. Sólo yo estaba al corriente de sus manejos por la cuenta que me traía y la venalidad del astrólogo. No tuve que seducirle como a ti para que me contase todo, con ése basta el dinero. Lo que te pido ahora tampoco se paga con dinero. Sólo puedo asegurarte que ganarás el reconocimiento incondicional del Moro y que si, por el contrario, no realizamos este plan, su poder peligra y con ello los favores que tú disfrutas.» Podía haberme negado, incluso siendo Cecilia quien me pidiera aquello, pero entró en juego otra influencia dañina que acabaría inclinando la balanza hacia el mal.

Salai, que había entrado a mi servicio de niño, se había convertido en adolescente. Debo confesar que su belleza me sobrepasaba y que, envuelto en mi admiración, pensé hacer de él un perfecto caballero. Boltrafio, Andrea y los demás aprendices de mi casa, que le recelaban en vista de mi predilección por él y que le despreciaban por ser más joven que ellos, aprovecharon el robo en casa de Sanseverino para propinarle una paliza, desatando en él su rencor acumulado. Yo no me atrevía a intervenir, aunque él me lo pedía con miradas furiosas. Su venganza, pues el chico tenía todas las virtudes, fue robarle a Boltrafio su estilete de plata y venderlo. Yo no sé si era inconsciencia, latrocinio compulsivo o valentía temeraria, pues aquello le valió renovados maltratos por parte de los aprendices mayores. Pero él no aprendía, no pensaba que su obligación fuese atenerse a las reglas de los demás mortales; en su insondable vanidad se regía por un código inmoral propio. Se rebelaba contra los mayores, lo que era peor, los desdeñaba y se comportaba como si fuera un invitado en mi casa y ellos sus servidores, cuando, por las edades respectivas, debía ser al revés. Sus primeros años fueron duros, pero él no declinó en su actitud, los otros tampoco en la suya, de modo que mi casa era, en el momento más inesperado o más inoportuno para mi trabajo, campo de reyertas, griterío y trepidación.

Por aquel entonces, mi madre natural, Catalina, había enviudado. Como no podía continuar llevando los campos sin su marido, y como su hipersensibilidad la había vuelto enfermiza con la edad, la convencí para que viniese a vivir conmigo a Milán. Pensé que su presencia, su serenidad y su sentido práctico contribuirían a poner orden en mi casa y quizás incluso en mi vida. Pero tampoco ella pudo con Salai por motivos parecidos a los míos. Mi amigo el pintor Vaprio me regaló una pieza de cuero de Turquía para que me hiciese unas botas. Cuando quise mandar a confeccionarlas, el cuero no aparecía. Boltrafio acusó inmediatamente a Salai. Iban a enzarzarse en una de sus riñas, cuando Catalina se llevó al presunto ladrón a mi estancia. Lo recuerdo muy bien porque, cuando se midieron con la mirada, vi algo de Salai que no había reconocido hasta entonces y que me gustó porque venía de dentro de su alma: no era desafío ni humillación de perro apaleado, sino una mezcla de ambas cosas, algo como la melancolía que es mirar con mezcla de tristeza y alegría, o una bondad maligna. Su mirada me cautivó como si ese día el niño se hubiese hecho hombre, como si la presencia de Catalina le hubiese hecho crecer en años. Su costumbre era negar empecinadamente sus hurtos: aquel día, hipnotizado por la suave sonrisa de Catalina, extrañamente parecida a la suya, Salai le acabó confesando que había vendido la piel a un zapatero para comprarse bombones de anís.

Desde aquel día empezó a competir conmigo en atenciones a mi madre. Con ella era tierno, conmigo amable para que le regalase con trajes, golosinas y demás caprichos que, desde luego, yo no otorgaba a los otros aprendices, los cuales, desde la llegada de Catalina, no pudieron atacarle como antes. Parecía que entraba mi casa en un período de serenidad, pero entonces llegaron los franceses y la malhadada intervención mía en la eliminación de Juan Galeazzo. Nadie sabe hasta qué punto Salai supo sacar partido de aquella situación para vengarse de mí. Pero ¿de qué quería vengarse? ¿De que le enseñara a ser un gentilhombre porque yo lo era y él no, o porque creía que su insolente belleza y sutil inteligencia le ponían a mi altura a sus ojos pero no a los de la gente?

Cuando estuvimos en Pavía para perpetrar los deseos del Moro, Salai se empleó a fondo en seducir al querido de Juan Galeazzo, un jovenzuelo rústico, maleducado e insolente como él, y como él extremadamente hermoso. Cortejó a ese Bozzone en mi presencia, delante de todos, precisamente aquellos días en que yo deseaba pasar desapercibido y acabar cuanto antes mi lúgubre misión secreta. Su traición me cogía en plena debilidad, en la agonía de actuar como un autómata, sonriendo de día a Juan Galeazzo, la noche en el huerto de Getsemaní de mi agonía, debatiendo en mi fuero interno para qué estaba haciendo aquello. Sabía que nadie podría detectarlo, aunque muchos sospecharan que la muerte no había sido natural; tanto era el beneficio que el Moro conseguía con ello. De cuán poco le sirvió su crimen: es lo que sucede a quienes creen en su buena estrella, no conciben que la vida es ondulante y que tras días alciónicos vienen las tormentas. Nadie me descubriría, aunque Teodoro de Pavía, uno de los médicos reales que estuvo en la visita de Carlos VIII a Juan Galeazzo, aseguró que había detectado signos evidentes de envenenamiento. Otros creyeron que había muerto de coito inmoderado, lo cual era tan verosímil como lo anterior, pues el Moro le había atiborrado de placeres para mantenerlo idiotizado, no siendo el menor Bozzone, con quien Salai proseguía su curso de seducción y encelamiento. En el colmo de su retorcimiento me animaba a eliminar a Juan Galeazzo para que Bozzone pudiese venir a casa como aprendiz.

Aparte de no temer ser descubierto, no sentía la menor compasión por Juan Galeazzo, uno de esos seres que son singulares por su nacimiento, no por sus méritos o virtud; un idiota degenerado menos en el mundo no se notaría, tampoco le echarían de menos, y yo menos que nadie. Pero estaba la prohibición moral, el no matarás de la ley. Al fin lo hice como una obra de arte, como un experimento científico, cual si estuviese ensayando un injerto que mejoraría los frutos o comprobando la virtud de una maceración. Ingenié un medio diabólicamente sutil. Has de saber, Francesco, que, haciendo un agujero con un tornillo en el tronco de un árbol joven, inyectando arsénico, un reactivo y sublimado corrosivo diluido en aguardiente, se obliga al árbol a madurar frutos envenenados. Valiéndome de mi completo conocimiento de los jardines de la villa que yo había diseñado, me introduje cada madrugada, a punta de día, en su huerto y allí, con una aguja de mi invención, inoculaba de ponzoña el melocotonero con cuyos frutos Juan Galeazzo gustaba desayunarse. Así un día y otro durante una semana. El catador no los probaba porque los cogían directamente del árbol; además, el efecto era lento.

Juan Galeazzo enfermó, empeoró progresivamente y murió al cabo de siete días, liberándome de una tarea que, por su premeditación y persistencia, me causaba indecible desazón. La excusa de que mi mano era un instrumento del destino o de fuerzas fuera de mi poder no llegaba a compensar mis escrúpulos. Y sin embargo continué hasta el fin; tanto le debía a Ludovico y esperaba de su protección.

Dios no nos castigó por aquello ni a Ludovico ni a mí. Nadie se percató de cómo se había envenenado a Juan Galeazzo, aunque nadie dudaba que su muerte, tan oportuna, no fuese provocada, y las gentes atribuyeron el hecho al astrólogo Ambrogio da Rosate, que cargó con el oprobio hasta el fin de su vida. Yo estaba dolido por el engaño que había perpetrado, pero perplejo por no haber sentido un remordimiento feroz que hubiese detenido mi mano ante el crimen.

Salai aprovechó este momento para desencadenar mis celos. Yo, celoso de Bozzone, sí, hasta perder el apetito, y no por remordimiento criminal, sino por celos incontrolados provocados por dos adolescentes incultos, sin escrúpulos ni modales. Juan Galeazzo agonizaba, Isabel recorría el palacio enfurecida como una fiera enjaulada, los cortesanos miraban para otro lado, yo miraba la puerta por donde Salai y Bozzone habían desaparecido y contaba los minutos que pasaban encerrados, alternando risotadas con silencios. Isabel no podía lamentar la muerte de su marido, que le pegaba cuando estaba ebrio y la postergaba por Bozzone. Lamentaba la pérdida del ducado milanés para ella y para su hijo; lo suyo no era dolor sino rabia y deseo de venganza; lo mío, remordimiento y celos, un precio quizás no demasiado alto por mi ambición y vanidad, por gozar el favor del poder y la belleza del adolescente, que no su amor; al menos eso pensaba entonces, antes de comprender cómo era el amor inaudito de Salai. Porque cuando la perfidia llega a cumbres impensables debe tornarse en su contrario, el más sincero sacrificio de purificación.

Es lo que perpetraría él para completar su extraño ritual de expiación y venganza. En cuanto regresamos de Pavía tras las exequias de Juan Galeazzo le contó a mi madre que yo había envenenado al desdichado. Y lo hizo en mi presencia. Ella me miró con aquel semblante suyo que lo expresaba todo: bondad, la ironía sardónica del mal, comprensión, sorpresa, reproche, aceptación. Él me miró con su sonrisa faunesca, de ofidio, sus labios más tersos que nunca y los párpados carnosos entornados, como una esfinge que acaba de lanzar un enigma y no espera la respuesta. En ese momento concebí en mi cabeza los retratos de ambos que están aquí conmigo, para acompañarme hasta la tumba, y comencé a pintarlos en mi imaginación.

Mi madre, Catalina, murió a los pocos días. De su boca no salió un reproche, que todos los oía yo en mi conciencia. Salai se mostró solícito como nunca lo fuera antes, me veló en mi dolor, también sin proferir palabra; en él como en mi madre lo esencial pasaba en los ojos, a lo más en los gestos. El dolor y la culpa habían eclipsado los celos, me daba igual que Bozzone hubiese regresado a Milán con Salai y viviera en casa de su hermano, que Salai se ausentara y volviera a vigilarme como un ángel exterminador implacablemente comprensivo como si para su moral mi crimen no tuviese entidad ni conllevase castigo. El dolor llegó a una cima angustiosa desde la que percibí una extensión vacía, nada sagrado, una luz vacía y sin límites que, en términos humanos, llamaríamos indiferencia. Aquí, las palabras me faltan, se rezagan del sentimiento, que es ignoto, extraño, incomunicable. Lo llamaré indiferencia a falta de una expresión mejor. ¿Cómo explicarte? No es que me dé todo igual por desidia o falta de respeto frívolo, es una visión vívida del inmenso dolor de la creación, de la danza infinita de las transformaciones de lo que existe, del ir y venir de vidas y formas, configurándose, diluyéndose, transformándose entre polvo y vida, ese intervalo que contiene la maravilla de las formas. Es indiferencia que nace de la aceptación, cuando ante lo más penoso, lo horrible, lo peor uno ve que todo está bien, que lo que sucede es lo mejor que puede pasar, que la realidad es la propia explicación de sí misma, sin causa ni efecto, más allá del bien y del mal. Hacia ese punto de fuga se desliza lo que puedes llamar mi indiferencia.

¿Has amado verdaderamente alguna vez? Si así fuera, sabrás que el amor perfecto es aquel que no pide señales. Cuando estamos, a la vez, totalmente entregados y a la vez libres. ¿Cómo se logra? Como todas las situaciones perfectas en este mundo imperfecto, alcanzando el punto álgido en que ser y no ser se tocan, en que las cosas se vuelven su contrario, como cuando aprietas hielo en tu mano y al cabo te abrasas. Del mismo modo, el amor que no pide señales es intenso e indiferente a la vez. Sucede que de fuera se capta antes la indiferencia que el cuidado, que somos pudorosos contra las expansiones del amor y lo ocultamos, mostrándolo sólo a uno. ¿A quién lo podemos mostrar cuando el objeto amado es el mundo todo? Eso que se llama mi olímpica indiferencia, que oíras criticar en labios de los que me conocieron, es amor indiscriminado a todo, imparcial, inagotable. Para los que puedan comprender, lo he dejado grabado en los dos rostros que te lego: el de Salai en forma de andrógino, el de Catalina como la Esfinge. En ambos está ese punto de fuga donde el bien y el mal, el dolor y la gloria, la sonrisa y el rictus se funden como el esfumado de sus colores, la luz y la sombra, la oscuridad placentera y la luz cegadora en tenebrosa claridad.

Cuando mi madre murió del disgusto al conocer mi crimen, dejando la vida como silencioso reproche, cuando en aquellas horas aciagas vi como en pesadilla su cara y la de Salai, entonces comencé los dos retratos. Así fue, había grabado en la memoria, incandescente por la emoción, los dos semblantes que me sonreían. Pintarlos ya fue cuestión de años, pero la imagen maestra había quedado grabada para siempre en mi alma como un arquetipo platónico. Ahora están sobre el lienzo, como testimonio para quienes lleguen en algún punto de su vida a sufrir y gozar, a sentir como yo ese cauterio inefablemente remoto. Para los demás serán caras extrañas de una raza que está todavía por llegar. Ojalá los comprendan por lo menos como ángeles anunciadores, como precursores del ángel andrógino hacia el que tiende la raza humana. Los pocos que hayan probado mi mismo dolor sabrán ver en ellos un estado de ánimo por el cual esta vida, grotescamente banal, merece la pena de ser vivida.

Este descubrimiento ha sido el mayor logro de la mía, incomparablemente más preciado que todas las obras salidas de mis manos. Pero ese estado de ánimo queda en mí y morirá conmigo, por eso deseo dejarlo anunciado en mis dos esfinges. Quiera Dios que algunos lo vayan descifrando y lo cultiven como yo en su cuerpo, su sensibilidad, en su alma vegetativa, animal y angélica, armonizando las tres, porque ése será el hombre nuevo para el que se pensó el reino de los cielos, que no son los ángeles de Sandro ni los colosos de Miguel Ángel, sino esa enigmática indiferencia preñada de cuidado bondadoso hacia todo lo que existe, sin esperar nada a cambio. El amor que no pide señales, que, sumido en la inmensa paciencia aquiescente de la naturaleza, flota como una mota de polvo en el rayo de luz, gozando la suspensión ingrávida, el quieto silencio dorado del amor. Ésa es mi indiferencia.

«OSTINATO RIGORE»

Tenía que acabar el caballo y comenzar la *Cena* que me encargó Ludovico para el prior del convento de Santa Maria delle Grazie. Puedes suponer cuál era mi estado de ánimo y cómo decidí hacer de necesidad virtud para ahogar en aquel trabajo titánico mi insondable tristeza. Lo conseguí. ¿Para qué? Ya has visto lo que ha sido del caballo y cómo se deteriora la *Cena.* Pero eso ya no me concierne: me interesa más plantear y resolver un gran problema en teoría que realizarlo, cosa que suelo dejar a mis aprendices. Pero en esas dos obras hube de esforzarme yo solo pues eran demasiado ambiciosas para dejarlas en otras manos que las mías.

Habrás oído contar que, hastiado de las reclamaciones del prior de Santa Maria delle Grazie, le incluí en la obra como Judas el traidor; es falso, Judas me costó mucho más, como me atormentó toda la obra, pues había decidido que la *Cena* de Santa Maria delle Grazie sería mi obra maestra y no sólo la mía, sino de mi época. Decidí incluir en ella todo lo que el arte de la pintura había aprendido de la técnica al óleo de los flamencos, de la teoría geométrica de la perspectiva y del realismo humano de los antiguos griegos. En aquella obra decidí romper con la tradición secular de Cenas, Anunciaciones y Adoraciones que, saliendo de los bizantinos y los francos, habían cuajado en Giotto, Fra Angélico, Filippo Lippi y todos los demás, incluido Sandro.

Los colores ya no tenían por qué ser planos ni las figuras perfiladas duramente, sin relieve; todo eso podía mejorarse porque la pintura con aceite permitía superponer capas, moldear con sombra las figuras, diluir los contornos, esfumando las separaciones entre ellos. La composición no tenía por qué resultar plana, dado que las teorías sobre la perspectiva y la ayuda de la cámara oscura de Leon Battista Alberti permitían dar profundidad y atmósfera al espacio en que sucedía la acción de la pintura. Incluso Piero della Francesca, que ha sido el primer maestro en el uso de la perspectiva, la utiliza de un modo abstracto, sin resonancias de color, de modo que el espacio resulta frío, forzadamente limpio, creando una impresión de irrealidad geométrica desnuda de atmósfera. Si no se utiliza la sombra para moldear los cuerpos, la línea cobra excesiva importancia, como en Sandro Botticelli, en perjuicio del relieve y la atmósfera. Además de ser una pintura de colores simples, efectos planos y perfiles acusados, adolece de rigidez y convencionalismo en los gestos de los personajes, cuya acción se dispersa, deslavazada, por el cuadro. Este aspecto es el que me costó más esfuerzo mejorar.

Tenía que superar otro obstáculo: la unidad global de la acción y la expresión de las emociones de todos y cada uno de los personajes. Todos mis predecesores —Ghirlandaio, sin ir más lejos— han pintado la Última Cena yuxtaponiendo figuras separadas: es un conjunto de cuerpos sin centro, una reunión de personajes sentados uno al lado del otro; en otras, los apóstoles hablan mientras Cristo se dirige a ellos. He visto una, incluso, en la cual mientras el Señor habla algunos discípulos llaman al mesonero para que traiga más vino. ¿Por qué no pintar el momento en que piden la cuenta?

Yo me planteé pintar una Cena de tal modo que, quienes la contemplen, sientan que no hay otro modo posible de representar aquel suceso. Y quise conseguir eso precisamente porque en mi pintura todo —técnica, atmósfera y expresión— sería nuevo y sería, engañosamente, la sencillez misma. Pero detrás de mi sencillez hay el trabajo incansable, ininterrumpido incluso en los aparentes abandonos. Sé que Matteo Bandello escribió a Isabel de Este: «Más de una vez he visto a Leonardo ir muy de mañana a trabajar en el andamio de la *Última Cena*; allí se quedaba desde el amanecer hasta la puesta del sol, sin dejar el pincel, pintando continuamente, sin comer ni beber. Luego pasaba tres o cuatro días sin tocar la obra, pero cada día dedicaba varias horas a examinar y criticar para sus adentros las figuras. También le he visto, cuando le venía la inspiración, salir del patio Viejo, donde trabajaba en el estupendo caballo de arcilla, y marchar directamente al convento. Allí, subido al andamio, tomaba un pincel, daba cuatro toques a una de las figuras y luego, súbitamente, lo dejaba y se marchaba a otra parte.»

¿Hay otro modo de trabajar? Los que creen que una pintura son sólo pinceles y muñeca van equivocados: el ojo debe estar criticando, evaluando, corrigiendo, el alma debe estar sopesando en las delicadas balanzas de su sensibilidad las emociones que aparecen en rostros y cuerpos. Mi obra fue un trabajo de geometría, sensibilidad y técnica; cada una sin la otra sólo puede resultar en frialdad, exageración o virtuosismo. Yo quería veracidad, fuerza y sencillez.

Me había planteado el problema de componer trece expresiones de emoción diversas, aunadas por una acción global. Me imaginé las palabras de Jesús como una piedra arrojada al agua: «Uno de vosotros me traicionará.» La emoción fluye y refluye por los doce apóstoles como ondas al caer en su ánimo esta piedra fatídicamente inapelable. No interpuse temas incidentales: toda forma y gesto debían concentrarse, como el punto de fuga de la perspectiva converge en la boca de Cristo, que es un triángulo equilátero perfecto, inmóvil entre el torbellino de los movimientos hacia fuera y hacia dentro. ¿Recuerdas aquellos versos del Dante en el Paraíso: «*Dal centro al cerchio, e si dal cerchio al centro, muovesi l'acqua in un rotondo vaso?*»

Tenía que conjuntar caracteres de diversos temperamentos y debía encontrar modelos para cada uno, incluido, claro está, el famoso Judas. No creo en el sistema que Rafael le contaba a Baldassare Castiglione, aquello de «*essendo carestia di belle donne, io mi servo di certa idea che mi viene nella mente*». Yo quería figuras sacadas de la realidad, que parecen más veraces. Una vez que necesitaba pintar un borracho riendo me fui a la taberna que hay en el camino de Monza, de aquellas que tienen concurrencia asegurada porque se bebe un buen Barolo: sabía que a ella acudían los campesinos y me senté a esperarlos. Cuando hubo una cantidad suficiente de ellos y la conversación fluía tan agradablemente como el vino comencé a contarles chistes: le preguntaron a un pintor por qué siendo tan buenas sus pinturas, que eran cosa muerta, hacía los hijos tan feos; él replicó: «Las pinturas las hago de día, los hijos de noche.» O el del cura que bendecía las casas el Sábado Santo. Entró en el taller de un pintor y le lanzó agua bendita a los cuadros, con lo que estropeó más de uno. Al quejarse el pintor, el cura le replicó que hacía cosa útil y santa y que por ello esperaba que Dios le devolviera ciento por uno. Así que cuando salía de casa el cura, el pintor le tiró un cubo de agua desde la ventana diciendo: «He aquí que te viene del cielo la recompensa centuplicada.» Encontrarás algunas de estas bromas anotadas en mis cuadernos, no sólo por interés de retratar caras sonrientes sino porque me gustan las chanzas y apuntaba las mejores a fin de recordarlas, que ni siquiera la conversación agradable o la simpatía se improvisan en este mundo, que Dios vende todos los dones al precio del esfuerzo.

Ni que decir tiene que con los chistes y el vino acabé anotando carcajadas y muecas en abundancia a mi entera satisfacción, que no hay otra fuente infalible como la naturaleza para inspirar el arte. Del mismo modo que en mi tratado de la pintura exhortaba a mirar las caras de las gentes a la hora del crepúsculo, por la gracia y belleza que hay en ellas, asimismo he coleccionado caricaturas grotescas, risibles o espeluznantes de seres bestiales, ridículos o extravagantes, que todo lo humano me interesa, aun lo repulsivo, repugnante y disforme. Creo, con la fisiognomía, que la cara es el espejo del alma y que los caracteres están escritos en los rasgos para quien sabe leerlos, por eso es necesario conocer los rasgos que corresponden a los diversos estados de ánimo, para poder pintarlos.

Fundamentalmente, el buen pintor tiene dos cosas a representar: el hombre y su estado de ánimo. Lo primero es fácil; lo segundo, difícil, porque tiene que lograrse por medio de los gestos y movimientos de las partes del cuerpo; esto puede aprenderse del mudo, el cual hace esto mejor que cualquier hombre. Los movimientos y actitudes de una figura deben mostrar el estado de ánimo de ésta, y de tal manera que no puedan significar otra cosa. Lo más importante que se puede encontrar en el análisis de una pintura son movimientos apropiados a los estados de ánimo de cada criatura viva, como, por ejemplo: deseo, desprecio, furor, piedad y otros similares. Si deseas representar a alguien hablando entre varias personas, debes considerar el tema de su conversación y hacer los gestos apropiados a él. Es decir, si se trata de persuadir, los gestos deben ser los adecuados para ello, y si se trata de explicar algo con numerosas razones, aquel que habla debería aguantar un dedo de su mano izquierda con los de la derecha, dejando el cuarto y quinto dedos doblados, y debe volverse hacia la gente, la cara animada, la boca medio abierta, de modo que parezca hablar; si está sentado debe alzarse un poco avanzando la cabeza; si de pie, inclinar el pecho y la cabeza ligeramente hacia los otros. La primera cosa a considerar, si quieres reconocer una buena pintura, es que el movimiento sea adecuado a los estados de ánimo de la persona; segundo, que el mayor o menor relieve de los objetos en sombra se ajuste a la distancia; tercero, que las proporciones de las partes del cuerpo correspondan a las del conjunto; cuarto, que la elección de poses sea apropiada al decoro de las acciones; quinto, que los detalles de la estructura de la figura correspondan a su tipo, es decir, miembros delicados para el delicado, gruesos para el fornido, pesados para el gordo.

No en vano he diseccionado más de treinta cadáveres para discernir cuáles son los mecanismos del cuerpo que generan los movimientos, aun los más nimios, y sobre todo éstos, especialmente los de la cara, pues sólo sabiendo lo que hay debajo de la piel y cómo se flexiona se puede pintar la superficie. Para pintar una sonrisa hay que saber que el máximo acortamiento posible en la boca es igual a la mitad de su extensión mayor, y es igual a la anchura mayor de las aletas de la nariz y al intervalo interpuesto entre los conductos lacrimales del ojo; los músculos llamados labios de la boca, al contraerse hacia su centro, tiran de los músculos laterales, y cuando los músculos laterales tiran y se acortan estiran los labios de la boca, y así la boca se extiende.

Supondrás con cuánto empeño busqué los rostros de los doce apóstoles y por supuesto el de Judas, en cuyo personaje habría puesto con gusto a Salai después de lo que hizo con mi madre, pero era tan hermoso que no me servía; lo usé para Felipe. Es cierto que el prior se fue a quejar a Ludovico de mi tardanza en acabar la *Cena,* me lo contó Atlante Migliarotti, que estaba presente, y lo corroboró Lucrecia Crivelli, la amante de turno que sucedió a Cecilia.

Mi compañero Atlante se encontraba en la sala de los Dioses y los Gigantes, donde el duque solía despachar sus asuntos por la mañana y, como siempre, quería estar acompañado de caras conocidas, tanto le repelía la soledad. ¡Insensato! No sabía que sólo te posees enteramente en la soledad. ¡Cómo debió de sufrir en ese calabozo de Loches, donde no estaba permitido a nadie visitarle! Yo quise ver su celda al llegar a Francia, cuando él ya había muerto; después de todo, estaba cerca de mi palacio —déjame exagerar, puesto que el papel lo aguanta todo—, por contrastar su suerte con la mía. ¡Pobre Ludovico, había garabateado las paredes con palabras y frases incoherentes! Aquella agonía de nueve años, en soledad, debió de ser peor que una ejecución sumaria, él que amaba el fasto y la compañía. La soledad, aunque durase unos minutos, le provocaba sorda inquietud: se veía abandonado de todo, que así temen los que pagan por la compañía.

Aquel día, el consejero de Estado le explicaba la manera de recibir al gran senescal del reino de Nápoles. Estaban presentes el tesorero Landriano y el capitán general de la corte, del que se decía que prefería los escudos de oro franceses a otra moneda. Atlante estaba cerca del hogar del salón con Lucrecia Crivelli y el poeta Bellincioni. En la corte llamaban a Atlante *el Hinojo* porque, así como al final de las comidas se sirven golosinas a base de hinojo, el músico sólo era requerido por el duque cuando se había aburrido de los demás entretenimientos. No era de extrañar, pues Atlante tenía una voz preciosa, era capaz de improvisar como yo, que le había enseñado, y era lo bastante leído para decir lo que convenía del modo más hermoso e irónico.

El prior se quejó al duque de mi inoperancia en el fresco de su refectorio, acusándome, al parecer, de que no me interesaba ya la pintura y lo dejaba a Boltrafio o Salai. Bellincioni me defendió contando que pocos días antes le había ponderado la superioridad de la pintura sobre la poesía. Es cierto, le dije, que si el poeta dice que puede inflamar de amor a los hombres, lo cual es cosa principal entre seres animados, el pintor tiene el poder de hacer lo mismo, y más aún, puesto que pone la imagen del amado delante del amante; y a menudo el amante besa esta imagen y le habla, lo cual no haría si las mismas bellezas fueran representadas por el escritor; y lo que es más, el pintor afecta de tal modo las mentes de los hombres que éstos se enamoran y acaban amando una pintura que no representa ninguna mujer viviente. Y me sucedió a mí, que hice una pintura de tema religioso y fue comprada por un amante que quiso que se le quitaran los atributos divinos para poder besarla sin escrúpulos; al final, su conciencia prevaleció sobre suspiros y deseos y tuvo que apartar la imagen de su casa. Todo eso está muy bien, insistía el prior, pero cuando quema leña húmeda seis veces al día en el refectorio para estudiar el color que toma el humo delante de la pintura es imposible cenar allí.

Yo estaba dibujando un airoso corcel napolitano en el patio cuando me vino a buscar un paje del duque. Acabé de anotar los trazos que me interesaban y subí a la sala de los Gigantes, cuyas pinturas por cierto me molestaban. El prior me apostrofó por mi lentitud, por mi inactividad, porque pasaba más horas mirando que pintando, en fin, la eterna sandez de confundir el movimiento con la actividad en que caen quienes no son capaces de calibrar ni sus propias obras con exigencia. Me señaló que Montorfano había comenzado la *Crucifixión* en el muro de enfrente después que yo y ya había concluido. No le respondí.

Yo no discuto nunca. ¿Acaso conoces alguien que haya cambiado sus ideas por lo que le argumentan? Yo no: las ideas sólo cambian con la muerte de quienes las detentan, por eso la Iglesia y otras instituciones poderosas aceleran la muerte de aquellos cuyas ideas no les gustan; pero yo ni puedo ni deseo acelerar la muerte de nadie, de modo que podré cambiar muy pocas ideas. En el fondo, las ideas se tienen visceralmente, no por razón; aunque creáis que pensáis con lógica, en el fondo sentís y luego inventáis razones para justificar lógicamente esos impulsos plenamente irracionales. ¿Para qué iba a discutir con el prior y, encima, sobre los méritos de Montorfano? Decidí contarle un cuento como a los niños, un método que a veces consigue hacer penetrar alguna idea en cabezas ajenas. Poco antes de partir de Florencia para venir a Milán, los monjes de San Donato me pagaron para ejecutarles una *Adoración,* algunos dicen, falsamente, que también cobré para ello del Magnífico. Recibí una barrica de Velpolicella como anticipo y puse manos a la obra. Creí que la representación de los pastores y los reyes —a uno de los cuales pensaba prestar las facciones de Lorenzo el Magnífico— no me exigiría mayor reflexión: sólo había que mostrar cómo la gente recibía la buena nueva.

A medida que iba pintando en ocres y sepia el fondo y la distribución de masas, en las horas lentas y reposadas que requiere llenar un lienzo de grandes dimensiones como conviene a un altar, fui pensando en la significación del Nacimiento y al profundizar en ella comencé a verla como una alegoría del fin del mundo antiguo: la muerte de los dioses paganos y la pleitesía de los reyes al recién nacido Dios cristiano. En el fondo puse un vasto paisaje de montañas frente al que combaten jinetes acometiéndose con los caballos entre figuras caídas y perros ladrando; ruinas grandiosas de un pórtico destrozado, como las termas de Caracalla; sobre las escaleras que suben a la bóveda se interpelan hombres de pie y sentados; bajo la bóveda arruinada hay grupos de personas conversando y caballos relinchando. En este fondo, recediendo hacia el pasado, presentaba el mundo antiguo, la edad de la fuerza y la belleza, ahora en ruinas ante la llegada, en primer término, del Dios que simboliza el mundo nuevo. Entre ambos mundos pinté un friso de figuras, torbellino de gestos y semblantes, amalgama de cuerpos desdibujados que se entremezclan como pensamientos desbocados de un mismo cerebro o las cabezas delirantes de la hidra de un sueño. Las miradas, gestos, gritos y actitudes de los personajes eran intuiciones tan remotas y frágiles que, como pensamientos medio formados, deben permanecer inarticulados. Pasé días enteros y noches siguiendo a personas que me interesaban por las calles. Quería plasmar la convulsión de las gentes ante el cambio de religión, su esperanza, su espanto, su curiosidad, su indiferencia. La composición básica es un triángulo cuyo vértice es la cabeza de la Virgen y cuyos lados descienden hacia dos figuras impasibles que están mirando, una hacia dentro y otra hacia fuera del cuadro. Estas dos figuras verticales y quietas me servían para dar estabilidad a la composición, agitada por la nube de figuras frenéticas.

El viejo que mira pensativo con una mano en la barbilla era mi maestro Toscanelli, el joven —eso no se lo conté al duque, te lo revelo a ti— era yo mismo, me pinté mirando hacia fuera, con disgusto, porque cuanto más ahondaba en el Nacimiento y la muerte de lo antiguo más lamentaba la pérdida en comparación con lo ganado. Y dejé el cuadro, disgustado, como mi figura inmóvil, que aparta la vista para no ver el Nacimiento ni oír la buena nueva.

Comprenderás que no pude dar esta explicación a los allí presentes, de modo que me inventé la historia de que necesitaba un sordo para plasmar su reacción al no oír la buena nueva ni los hosannas celestiales. Al no encontrar ninguno y acercarse la fecha de mi viaje a Milán, dejé el cuadro incompleto. En el fondo siempre he creído que si lo hubiese recubierto de color, el cuadro hubiese perdido la fuerza trágica que yo le veía, pero ¿cómo decirlo sin ofender a los buenos cristianos? Lorenzo lo hubiese comprendido, pero no Savonarola, y ahora no quedaría ni lo que hay, por incompleto que parezca, pues me lo hubiese quemado el piadoso fraile en su hoguera de las vanidades.

Les tranquilicé diciendo que, puesto que nadie me alejaría de Milán ni de la graciosa protección de Ludovico, no debían inquietarse por el acabado de la *Cena*, pero les desafié a que me encontrasen un modelo para Judas. El prior me sugirió estudiar un prestamista florentino de vieja cepa que, pese a su riqueza, vivía mezquinamente y obligaba a su hija, bellísima, a hilar como una sierva para vestirse. Yo le respondí que el pecado de Judas no fue la avaricia, ni siquiera la envidia o la perfidia. Judas traicionó a Jesús porque se dio cuenta de que lo amaba; presintió que no podría evitar amarlo demasiado y su orgullo se lo impidió. El pecado de Judas fue el orgullo que conduce a traicionar el amor que uno siente. Mi Judas tenía que ser alguien orgulloso y capaz de amar. Ojalá Salai fuese así, su traición hubiese sido comprensible, pero tal como lo hizo fue más en ángel vengador, por castigar mi culpa que por orgullo de amor. No sé si Salai era capaz de amar, ni siquiera si llegó a amarme, que cuanto más ama uno mismo, más desanima al amado por esa ley de contradicción que ocurre entre los deseos humanos.

No, Salai me ayudó a comprender al traicionado, no al traidor; entendí la sensación de Cristo ante la traición y ello me permitió culminar la *Cena*, reflejándola en el momento más trágico y, por lo mismo, de mayor potencia emocional. Por eso representé a Jesús con los ojos entornados tras pronunciar las fatídicas palabras: el silencio es el motivo principal de su figura; de ese modo logré una acción que no cesa, el impulso emocional continúa como un eco de las palabras pronunciadas y la acción es, para cualquiera que la contemple, momentánea, eterna y completa.

Se ha dicho que fundé una academia en Milán. En realidad éramos un grupo de amigos interesados en las ciencias y las artes que se reunían a veces en público ante la corte para distraer y dar relumbrón al Moro, y los más entre nosotros para debatir sobre lo que realmente nos interesaba. ¿Se puede llamar academia a una reunión de Luca Pacioli, Bramante, Merula, Bellincioni, yo y algunos más? Quizás sí, pues no era tan distinto lo nuestro a lo que Ficino y Lorenzo de Médicis patrocinaban en Florencia. En aquellas reuniones, yo concreté mucho de lo que he escrito, mis notas no eran para impartir lecciones; antes al contrario, eran síntesis de lo que allí oía. En aquellos años de Milán, yo me fui forjando una visión del mundo y un método para estudiarlo que debo resumirte so pena de dejarte a oscuras sobre un lado fundamental de mi persona, sin la base para entender por qué me he interesado en ciertas cosas y desdeñado otras, para qué me he esforzado y qué es realmente lo que cuenta para mí en el terreno científico, que en el artístico ya te lo he contado.

Si existe un método para saberlo todo, yo creo que el

secreto estará en la forma, porque sólo merced a ella descubrimos el sistema de referencia propio de cada cosa, que es el único válido para estudiarlas. Los antiquísimos egipcios decían que todo significado es un ángulo. Para los cabalistas hebreos la clave está en el sistema de referencia en que se estudia cada cosa, porque es la cosa misma quien debe indicar su sistema de descripción idóneo. ¿Qué nos está diciendo una cosa, cuál es su lenguaje inequívoco, no sobrepuesto por la inteligencia humana?: su forma.

Por eso he pasado mi vida mirando, viendo y dibujando. Mirar no es ver. Se mira y se reciben las impresiones; se ve cuando la inteligencia las organiza. La clave está en no entrometer ideas humanas que nada tienen en común con la cosa percibida. Con inquebrantable humildad he dejado que las formas, colores, olores me hablen su lenguaje inefable. Y esperar, si es posible, con la misma inmensa paciencia de la naturaleza. El ojo es la ventana del alma, canal principal por el cual el sentido común tiene conocimiento completo y detallado de las infinitas obras de la naturaleza. Si se dibuja en vez de escribir, se está más cerca de la realidad.

Hay que limpiar los sentidos de imágenes religiosas y conceptos escolásticos para que vean directamente. Hay que saber ver. Se miran las superficies, que son las formas, pero se ven los poderes formativos internos en equilibrio. Equilibrio estático en los sólidos, móvil en los fluidos, como nubes, ondas, remolinos, luz. Lo deseable es ver el paso o equivalencia entre la forma fija y la fluida, hasta darse cuenta de que la concha espiral de un molusco es como un torbellino de agua, sólo que dura millones de años en vez de segundos, ¡Qué más da esa diferente duración en un universo que continúa infinitamente!

La naturaleza no es la madre terrible, el mundo, demonio y carne que anuncian los santos padres, no es un valle de lágrimas donde se pasa camino del cielo o el infierno. La naturaleza ha sido, es y será el Paraíso Terrenal. El paraíso está aquí mismo para el que sabe ver. Yo lo sé y todo mi esfuerzo se dirige a comunicar esa visión. ¡Míseros mortales, abrid los ojos!, parad los deseos, abandonad propósitos y remordimientos, y veréis las cosas simples, puras, abiertas, como las ve el pájaro, el zorro, incluso la hiena. ¿Has oído de verdad, volviéndote tú pájaro, con oídos de pájaro, cómo cantan las aves? El gozo, la falta de cuidado, la ausencia de envidia, codicia o rencor que hay en ellos, ¿la conoces, la has oído? Yo sí. Sé que ellos están en el paraíso, ¿por qué no nosotros?: porque pensamos. Dios nos dio un día el pensamiento, entonces caímos del paraíso y nos dejó errar y nos mandó trabajar para que, con el tiempo, volviéramos al paraíso, con el pensamiento amaestrado por el gozo.

Que no es tarea fácil y que llevará muchos siglos lo demuestra que estamos en el año cinco mil y pico de la creación y ya ves cómo son los hombres. Algunos hemos vuelto al paraíso aquí, en este mundo, y lo hemos intentado anunciar, pero muy pocos lo pueden comprobar, porque, como eres, así ves. Y la mayoría son rencorosos, interesados, miedosos, llenos de deseos, atragantados de egoísmo. ¿Qué van a ver, sino lo que son? Y se persuaden de que el mundo es como ellos. En el pecado llevan la penitencia. Para ti y para mí todo lo que sucede en el mundo es sí. El horror lo causan los hombres enloquecidos por el pensamiento, o lo causa Dios en su dejar que muy pocas causas gobiernen la naturaleza: por eso mueren niños o nacen malformados. ¿Has visto cuántos huevos lleva un pescado, cuántos frutos lanza un árbol? El universo sólo puede funcionar con muy pocas causas, y los casos particulares sólo son desgracia a los ojos humanos, la naturaleza no puede detenerse para subsanarlos. Al que le toca sufre, pero te aseguro que deja de sufrir en cuanto es capaz de ver el gran diseño y decide parar el pensamiento. ¡Oh admirable imparcialidad tuya, Primer Motor, Tú no has querido privar a ninguna potencia el orden y cualidad de sus necesarios efectos! La necesidad es la maestra y tutriz de la naturaleza, la inventora, el freno, la regla y el tema.

Me he acercado a la naturaleza, he penetrado en sus secretas cámaras, misteriosas cavernas del sentido donde las formas se transfiguran e intercambian: rizos en torbellinos, ondas en materia, nubes en ríos, espacio en tiempo, matamorfosis del cuerpo del mundo que cambia por analogías. He estudiado las modificaciones como un todo que se expresa en modos, nunca como trozos separados que percuten de causa a efecto. Así como en la penumbra las suaves luces acaban en placenteras y deleitosas sombras, así en mi pensamiento causa y efecto se diluyen en modulaciones de una sola acción, la realidad cambia por alternancias de un solo flujo de fuerza que presenta efímeras configuraciones cambiantes. Hay una sola fuerza, una y sólo una, que se realiza en diversas causas, sólo inconexas para la visión material.

El artista debe competir con la naturaleza creando obras viables y durables, no efímeras fantasías ni quimeras; debe ampliarla y completarla dando materialidad a las infinitas causas y razones que no se han manifestado aún. La ciencia en sí es un juego mental; de la ciencia nace la acción creativa que es mucho más valiosa. Hay que entender la naturaleza para imitarla, pero no copiando lo exterior, sino reproduciendo sus actos generativos que hacen germinar las cosas desde dentro. Yo quería entenderla analizándola e imitarla creando: lo primero es ciencia, lo segundo arte, ambos una misma cosa.

¿Te acuerdas del lagarto que solté en el jardín de Belvedere? Le había añadido alas de murciélago y cuernos de escarabajo. Era una quimera, como los poetas componen situaciones y personas fantásticas juntando palabras. Eso son meros juegos inútiles para distraerse embromando al cardenal de turno; lo realmente creativo sucede cuando ese lagarto con alas y cuernos vive y se reproduce, y esos añadidos le sirven para vivir de otra manera que como lagarto no alcanzaba. Es arte científica la que genera cosas o seres útiles, durables, que aumentan la diversidad y la libertad de la naturaleza. Las cosas naturales son finitas, pero las obras que el ojo puede ordenar de la mano son infinitas. El hombre, al investigar la naturaleza y comprenderla, puede realizar conscientemente lo que ella hace por necesidad. Las limitaciones humanas son consecuencia del conocimiento defectuoso de los medios y modos de operación de la naturaleza; si conociésemos las razones de ella, podríamos hacerlo todo. A veces, Pico me decía, bajando la voz, porque sólo a mí se atrevía a confiarse: «Seremos como dioses.» Y yo, joven como era, le creía, porque él ya era como un dios. Ha sido mi modelo en lo intelectual, como Verrocchio lo fue en el arte.

Hay que convertirse en la naturaleza para crear, como ella, desde dentro. La necesidad compele la mente del pintor a transmutarse en la propia mente de la natura. Hay que investigar la estructura de las cosas a través de una sistematización de la analogía de las formas. Tú sabes que éste es el principio de la magia simpática: reforzar o invocar la analogía entre cosas, aprovechar la correspondencia entre elementos. Así lo aprendí de Ficino y Pico, como encontrarás en mi biblioteca en los comentarios a Platón por Ficino. El hombre es un microcosmos, así fue llamado por los antiguos, y ciertamente el término estaba bien elegido porque así como el hombre se compone de tierra, agua, aire y fuego, así es el cuerpo de la Tierra. Como el hombre tiene huesos para soporte y andamio de la carne, la Tierra tiene rocas como soporte del suelo; así como el hombre lleva un lago de sangre en el cual los pulmones se hinchan y deshinchan respirando, así el cuerpo de la Tierra tiene el océano que fluye y refluye cada seis horas en una respiración cósmica; como las venas emanan del lago de sangre y se ramifican por el cuerpo, asimismo el océano llena el cuerpo de la Tierra con infinidad de venas de agua. El cuerpo de la Tierra carece de nervios porque éstos están hechos para el movimiento, y la Tierra, dotada de estabilidad perpetua, no se mueve, y al no tener movimiento no necesita nervios. Pero en todo lo demás se parecen mucho. El hombre está hecho de armonía. La música es hermana de la pintura: ambas expresan armonías, la música en sus acordes, la pintura en sus proporciones. Los intervalos musicales y las distancias en la perspectiva lineal están sujetos a las mismas razones numéricas, puesto que objetos de igual tamaño, alejándose a intervalos iguales, disminuyen en progresión armónica. Pitágoras de Samos fue quien tradujo notas musicales a longitudes de cuerda y por eso yo lo respeto entre los mejores filósofos, que son aquellos que, razonando sobre los fenómenos de la naturaleza, no se quedan en palabras, como los escolásticos, sino que dan con leyes naturales y relaciones entre cosas y fenómenos que sirven para adecuar la realidad a los deseos humanos. Ésos son filósofos, los demás son meros juglares de palabras, combinadores de conceptos para nada.

Los tonos musicales corresponden a una longitud de cuerda que puede medirse, las consonancias musicales corresponden a razones de números enteros que son 1, 2, 4, 8 y 1, 3, 9, 27. La armonía del mundo está expresada en estos siete números, que ordenan el ritmo secreto de macrocosmos y microcosmos. Las razones entre ellos contienen no sólo todas las consonancias musicales, sino también la inaudible música de las esferas y la estructura del espíritu humano. ¿No sabes que el espíritu está hecho de armonía? Mi maestro, Leon Battista Alberti, me enseñó que los números por los cuales la entonación de sonidos afecta al oído con deleite son los mismos que placen a nuestros ojos en las proporciones.

Yo he sido un filósofo hermético porque creo como Alberti, Pico y Ficino, que lo aprendieron de Hermes Tres Veces Grande, que en el universo no hay fuerza que, con sabias precauciones, no pueda doblarse ni destino que no pueda influirse, ninguna energía inutilizable. La magia natural, tal como la aplicaban Ficino y Pico, era una actividad práctica de transformación de la naturaleza, interfiriendo en las leyes naturales merced al conocimiento técnico de su funcionamiento. El sabio no sólo se beneficia del margen de posibilidad que aparece cuando las fuerzas se encuentran y equilibran, sino que también —y entonces deviene mago— es capaz de influenciarla por unas operaciones rituales que evocan y desatan las acciones a distancia por analogías y correspondencias. El sabio que conoce las estrellas, el mago que forma elementos o desencadena procesos logran la unidad de pensamiento y acción. Es lo mínimo que cabe pedir de los filósofos. Pensamiento sin acción es juego mental estéril. Esta visión nuestra no excluye las matemáticas, pero me temo que los matemáticos sin visión interior acabarán por olvidar las analogías y correspondencias que religan la armonía universal. Ya he tenido que argumentar estos últimos años con algunos franceses que reducen el estudio de la naturaleza a pesar y medir, olvidando el alma del mundo. Yo me resisto a enunciar teorías porque los hechos, que observo y mido y peso, son polivalentes y los modos de relacionarlos muchos. Cuando se da una teoría se los ha ensartado y ya no se mueven. Ya te dije que el mundo que vemos es una descripción, pero hay otras; confundir una descripción con la realidad no es ciencia, es capacidad de manipulación. Lo que percibimos siempre es sólo una de las descripciones posibles de la realidad, aquella que contesta a nuestros sentidos y a los aparatos con que le preguntamos. Según la pregunta es la respuesta. Como eres, así ves.

Las causas no son sólo mecánicas, como creen los que sólo saben pesar, sino simpáticas, como intuyen los que saben relacionar formas. La verdadera inteligencia consiste en relacionar fenómenos aparentemente muy alejados o diversos. Las cosas no se comportan de un cierto modo debido a su esencia o a una causa mecánica que las mueve, sino porque su posición en el conjunto les confiere una naturaleza que las obliga, por resonancia con el conjunto, a ese comportamiento. Si no se movieran, perderían sus posiciones relativas en el conjunto y se convertirían en otra cosa. Y todo desea continuar siendo lo que es. Las cosas están conectadas, no causadas. Todo sucede en el espacio, no en el tiempo. El tiempo es una ilusión de los sentidos y del latir del cuerpo. El tiempo es la posibilidad de que dos cosas ocupen el mismo sitio: si se interpenetraran, no habría tiempo. ¿Y quién sabe si no somos un flujo inmaterial que se interpenetra eternamente? Hay que pensar en acciones, o sea, con verbos, porque un sustantivo, que es una cosa aislada, no existe en la naturaleza. Lo que parecen cosas son sólo puntos de encuentro de acciones y procesos. Una cosa es el dibujo quieto de una acción incesante, es un corte. La lógica aristotélica manipula conceptos que son abstracciones extraídas de los flujos por un proceso de cernimiento o decantación; los escolásticos nunca investigaron cómo las cualidades que extraían de las cosas habían llegado a entrar en ellas. La distinción entre sustantivos, verbos y adjetivos ha sido inventada por los gramáticos; la naturaleza misma no tiene gramática sino procesos de transferencia de fuerza entre términos que emanan y otros que son influidos. La filosofía debe descubrir las influencias y las leyes que los gobiernan. El verbo es el hecho primario de la naturaleza ya que el movimiento y el cambio son las únicas manifestaciones de ella que llegamos a captar. Cuando digo que el agricultor siega trigo, agricultor y trigo son meros términos fijos que delimitan los extremos de la acción segar; en sí mismos sólo pueden ser verbos: agricultor es el que trabaja la tierra y trigo es una planta que crece de un modo especial. Nada en la naturaleza señala la existencia de conceptos ni reglas lógicas, ambos son invención instrumental de la mente para reducir el mundo a su imagen y semejanza, ahuyentando el miedo que el flujo universal provoca y permitiendo manipularlo a nuestro gusto. Los conceptos fijos son fruto del miedo al flujo, deseo de fijeza en un mundo perecedero donde la persona efímera es arrastrada por el río de Heráclito. Pensar en esencias y conceptos es embalsar el flujo para apaciguar el miedo al cambio incesante e imprevisible, inventando en el pensamiento un mundo ilusorio de fijezas. Palabras, palabras, palabras.

Hay que estudiar los fenómenos por la forma, no por

relaciones de causa a efecto; hay que pensar por actos, no por conceptos. La luz, el golpe, el olor o la voz cuando atraviesan una ranura o chocan con una pared se comportan de igual modo. La correspondencia en que se funda la analogía es una resonancia simpática entre cuerpos, y tal simpatía implica una sensibilidad o algún tipo de consciencia que permite a las cosas vivas e inertes comunicarse. Lo dijo Hermes Tres Veces Grande: «Como es arriba, es abajo; como abajo, arriba, para realizar los misterios del Uno.» Nicolás de Cusa creía con Anaxágoras que todo está en todo. Cada cosa tiene consciencia de presencia de las demás. Todo está vivo y todo está en todo. Por eso veo el mundo diferente de quienes creen que la materia está muerta y las cosas incomunicadas. Ante mí se abre el mundo como una sinfonía de ecos entrelazados, de ondas gemelas entrecruzándose, esferas vibrantes que se penetran unas a otras.

Así como una piedra tirada al agua deviene centro y causa de muchos círculos, y como el sonido se difunde por círculos en el aire, así cualquier objeto situado en la atmósfera luminosa se difunde en círculos y llena el aire circundante de infinitas imágenes de sí mismo, y aparece todo por todo y todo en cada parte. Todos los cuerpos juntos y cada uno por sí llenan el aire de infinitas semejanzas suyas, las cuales están todas en todo y todas en la parte, llevando con ellas la calidad del cuerpo, color y figura de su causa.

El agua golpeada por agua crea círculos en torno al punto de impacto; la voz en el aire va más lejos; aún más lejos la luz del fuego; el espíritu va aún más lejos en el espacio, pero siendo finito no llega al infinito. La onda del aire hace el mismo orificio en el fuego que la onda de agua en el aire o la arena en el agua, y sus movimientos son en la misma proporción que sus motores.

Observa cómo el movimiento de la superficie del agua se parece al del cabello, el cual tiene dos movimientos: uno debido al peso del pelo y otro a las ondas y rizos. Del mismo modo, el agua tiene sus rizos turbulentos, una parte de los cuales siguen la fuerza de la corriente principal y otra obedece al movimiento de incidencia y reflexión.

Mis ideas no son para el vulgo, yo no discuto ni me justifico. Sólo me interesa saber, por eso no entro en los libros sagrados que contienen la más alta verdad. En cuanto a la definición del espíritu, dejo esto a los frailes, padres del pueblo, quienes por inspiración conocen todos los misterios.

Hay que someter cada juicio sobre las cosas naturales a cálculos matemáticos para entender y demostrar las razones de los fenómenos que la experiencia manifiesta. La experiencia no miente nunca; es nuestro juicio el que yerra prometiéndose cosas de las que no es capaz. Los hombres se equivocan al quejarse contra la experiencia y acusarla de engañosa. Dejad a la experiencia tranquila y volved vuestras quejas contra vuestra propia ignorancia que os lleva a fantasías e insensatos deseos. Esperáis de la experiencia cosas que no están en su poder. Con las matemáticas no se discute si dos veces tres hacen más o menos de seis: todo argumento es reducido a eterno silencio, y se disfruta de ellas en paz, cosa que las mentirosas ciencias de la palabra no consiguen. Primero realizo un experimento antes de seguir adelante, porque mi intención es alegar primero la experiencia y después, con la razón, demostrar por qué tal experiencia está constreñida a obrar de ese modo. Y ésta es la verdadera regla de cómo deben proceder los especuladores de los efectos naturales. Y aunque la naturaleza empieza por la causa y termina en la experiencia, nosotros debemos seguir el camino inverso, o sea, empezar con la experiencia y por medio de ella investigar la causa. Antes de que tú hagas de un caso una regla general, pruébalo dos o tres veces y mira si las pruebas producen los mismos efectos.

Así me he solazado en la observación y he recurrido a las matemáticas y al dibujo para apartarme de los horrores que más de una vez han ensombrecido mi ya larga vida. Luca Pacioli me ayudó a superar el desastre de la huida de Milán con su conversación sobre geometría platónica y la divina proporción, ese número áureo que nos dejó el Creador imbuido en la materia para que no olvidemos que estamos hechos de armonía.

Los veinte años de estancia en Milán me dieron estabilidad y pude desarrollar este método de estudio que he querido revelarte para que no muera conmigo. Pásalo, Francesco, a los investigadores honestos y sin prejuicios religiosos que encuentres en tu camino, pero cuídate de la Inquisición. Ya ves cómo sufrió Pico, cómo murió Savonarola: nunca he entrado en polémica en temas religiosos. Me he salvado, y no desearía que tú te vieses comprometido por estas memorias de un panteísta hermético que cree que el Sol no se mueve, la sangre circula y Dios es mujer. De todo esto puede hablarse con quien merece oírlo. Lo dejo a tu criterio, recomendándote prudencia y parsimonia. Después de todo, si no hay nadie para oírlo no se perderá mucho, pues el mundo seguirá su marcha imparable y lo que yo creo haber descubierto lo verán otros detrás de mí. Mi generación vio más porque nos subimos a espaldas de gigantes como Leon Battista Alberti o Toscanelli; sin los conocimientos de estos teóricos y de los prácticos en los talleres yo habría avanzado muy poco. He querido recoger el estado del conocimiento en mi época y he redactado bastantes tratados que te confío. Aquí está resumido lo que sabemos hasta hoy y algunas cosas más. Comunícalas a quien lo merezca.

«MORA IL MORO!»

Hijo de la suerte se creía Ludovico y así se refería a sí mismo; lo era más bien de la fortuna, que es buena suerte, que de la desgracia; pero la suerte es una rueda girando de ventura a desdicha, sin cesar y para cada uno con distinta velocidad. Él sólo recordaba felicidad en sus efemérides, pero, inexorablemente, el lento giro de sus estrellas le alcanzó por fin en malas conjunciones. La primera señal fue la muerte prematura de Bianca, mujer de su gran amigo Galeazzo de Sanseverino e íntima de la duquesa Beatriz, la cual en esos momentos estaba embarazada de muchos meses y con mala salud debido a las infidelidades del duque con su nueva amante, Lucrecia Crivelli. Cuando la corte volvió a Milán a pasar el invierno, Beatriz venía continuamente al convento de Santa Maria delle Grazie a rezar sobre la tumba de Bianca de Sanseverino.

Recuerdo un día, a primeros de enero, en que coincidí con ella, pues yo estaba allí pintando la *Cena*. Ya sabes que nunca doy por terminada una obra, sólo ceso si me la quitan de las manos, y a punto estuvo de sucederme incluso con ésta, pues, por increíble que parezca, el rey de Francia, al verla, quiso llevarse la pared del refectorio a su país; no fue fácil convencerle de la imposibilidad técnica. Vi a Beatriz pálida, desencajada, con expresión que no correspondía a su cara de niña ni a sus rasgos de por sí risueños; estaba tan abatida que sus damas de compañía tuvieron que sostenerla. Estuvo gentil conmigo y me invitó a una fiesta aquella noche en sus apartamentos.

Cuando acudí la encontré en estado febril, excitada, con ojos extraviados y gesto de histérica. Pese a su embarazo, danzó frenéticamente y sin descanso: desoyó mis ruegos para que reposara. A partir de un momento me pareció que estaba poseída por una voluntad funesta, saltó y giró como una posesa hasta caer exhausta: rompió aguas, se retorció, chilló, dio a luz un niño muerto y expiró ella misma. Ése fue el segundo y terrible mal augurio que sufrió el Moro. A su manera la amaba y, como caprichoso que era, la apreció en su justo valor en el momento de perderla.

Ordenó funerales, la ciudad se llenó de cruces y velas, las gentes, de luto, gentilhombres, burgueses y pueblo profirieron lamentaciones, plañendo la gran pérdida que sufría la ciudad. A la puerta de Santa Maria delle Grazie, los embajadores recibieron el cuerpo de manos de los magistrados y lo llevaron al altar mayor, donde el cardenal legado ofició la misa de tinieblas ayudado por dos obispos. El duque hizo revestir de luto todas las salas del castillo, incluida la Saletta Negra donde trabajaba yo. Se volvió más religioso, se vistió de burdo sayal, ayunó y fue casto... tres semanas. Venía todos los días al convento, donde departía con el prior y los monjes; yo procuraba verlo a solas, pues no tenía nada que decir a los reverendos padres.

La muerte súbita de Carlos VIII fue el tercer aldabonazo que advertía a Ludovico del cambio de su estrella, la inexorable rotación de su suerte hacia la desdicha; pero él seguía creyendo en su buena fortuna por pereza, miedo y frivolidad, por no enfrentarse a la realidad. Y ésta era que el nuevo rey de Francia, Luis XII, se consideraba duque de Milán por su abuela Valentina Visconti. Los venecianos estaban contra Milán, los Este de Ferrara a favor de Francia para protegerse de los venecianos, el papa Borgia estaba con Francia para promover el poder y la gloria de su hijo César. De modo que a Ludovico sólo le quedaba su yerno, el emperador Maximiliano, como aliado, pero éste le pedía dinero para pagar tropas y así Ludovico se encontró en otra situación nueva para él: falto de fondos. Aumentó desproporcionadamente los impuestos y ello le hizo impopular.

En vez de endurecerse en la adversidad, era de naturaleza proclive a pensar soluciones retorcidas y, a la larga, perjudiciales. Así como cuando se sintió amenazado por Nápoles llamó a los franceses, esta vez, amenazado por los franceses, pidió ayuda al Gran Turco, el sultán Bayaceto, causando el horror y la indignación —fingida, claro está— de los italianos. Le pidió al turco que atacase Venecia. Los preparativos del duque para la defensa fueron lentos e ineficaces. Yo hubiese podido ayudarle, pero quitaba gravedad a la situación y se sentía más seguro teniéndome como pintor y escenógrafo que como ingeniero militar, que así se las ingenia el miedo del frívolo para mantener una apariencia de normalidad y sosiego cuando los signos que ve alrededor no le gustan. Milán sufrió entonces los inconvenientes de sus cualidades: embebida en esplendor y refinamiento, estaba poco capacitada para la guerra; la *«festosità decorativa»* lombarda se decía mal con la solidez defensiva que exige la austeridad de la guerra. No tenía nada de soldado el duque y no se trataba con verdaderos soldados: había alienado a Trivulzio y no contó con Gongaza de Mantua. En vez de estos expertos generales tenía al mando de su ejército al gentilísimo, elegante, encantador y pésimo soldado Galeazzo de Sanseverino.

La persona más hábil entre los que podía contar el duque era su hermano Ascanio, el cardenal, a quien dejó el gobierno de Milán al retirarse ocho días a Santa Maria delle Grazie para escrutar el porvenir. La asamblea no podía ser más patética. Así como un año antes en la ciudadela del castillo el duque presidió una justa científica donde Luca Paciolli, ante obispos, protonotarios, abades, teólogos, cortesanos, astrólogos, médicos, juristas, ingenieros y yo mismo, expuso sus hallazgos sobre la divina proporción, y donde el duque afirmó en palabras nobles e impregnadas de gran dulzura cuánto era digno de elogio aquel que, habiendo recibido un don particular, lo comunica a los demás, mereciendo elogio y honor por seguir la maxima sagrada: *«Quod et sine figmento didici, et sine invidia libenter comunico»* («Lo que he aprendido sin modelo, lo comunico sin envidia y de buen grado»), ahora se encerraba en el convento Delle Grazie, junto a la tumba de su mujer —y mi *Cena,* claro— y sólo concurrían astrólogos.

Por lo que me reveló Luigi Marliano, supe que el patético Ambrogio da Rosate recurrió, sin éxito, a todas las marrullerías de su arte, que pueden ser muchas. Estuvieron de acuerdo en que al ser Aries con ascendente Leo, Ludovico era impulsivo y colérico por su signo y generoso, brillante y vanidoso por su ascendente. Marte en Acuario refuerza su temperamento impetuoso y activo, pero —se apresuró a señalar Marliano— también le hace intrigante. Saturno en Libra mal aspectado le dificulta las relaciones diplomáticas, aventuró el alquimista Sacrobosco. Marte en trígono con Saturno le da gran seguridad en su prestigio, aducía Rosate, optimista, a lo que contraatacaba Sacrobosco: Júpiter en Acuario le da inteligencia, pero tendente a la demagogia.

Por fin, para buscar una base de acuerdo se centraron en la fecha de su coronación, el 22 de diciembre de 1494: Júpiter estaba en Libra trigonando a su Júpiter natal en Acuario; Marte también en Libra pasa por encima de su Saturno natal. Es una fecha fausta que ninguno de los presentes puede discutir, entre otras cosas porque fue el propio Rosate quien decidió el día y la hora de la coronación de acuerdo a las mejores conjunciones. Esto, que a Rosate le parecía como un seguro vitalicio contra la desgracia, no era suficiente garantía para Marliano y Sacrobosco.

El 20 de agosto de 1499, día en que se tenía la astrológica asamblea, la situación del cielo era: Saturno en

Tauro hace un aspecto muy negativo a su sol, con lo cual su brillo se opaca y la buena estrella se oculta; además, Saturno estaba en mal aspecto a Mercurio, que es el emisario, lo cual no augura nada bueno. A esto opuso Rosate que su Mercurio natal estaba en buen aspecto a Saturno y que ello podía paliar los efectos del tránsito, tal era el desespero del pobre astrólogo en inminente desgracia, que añadió: y además su Venus natal en tierra trigonando a Saturno mitiga también el tránsito y le da confianza al duque. Ludovico nació con Júpiter en Acuario y en 1499 Júpiter retornó a ese signo, buena señal, según Ambrogio, que ya estaba casi contagiando al duque su optimismo; pero Sacrobosco, que, por su condición de alquimista, no era adulador ni interesado, no quiso engañar a Ludovico y le intimó con sigilo que cuando Júpiter regresa al signo natal es desde su aspecto traidor. El duque salió del convento no mejor de lo que había entrado y aun diré que bastante amedrentado.

Mientras él andaba así ocupado en predicciones, los franceses comenzaron su avance desde Asti: la brutalidad premeditada de su proceder —pasaron por las armas a toda la guarnición de Ancona después de rendirse— causó un terror generalizado. No estábamos acostumbrados en Italia a tomar la guerra tan a la tremenda: se realizaban despliegues, asedios, se rendían ciudadelas y, a veces, incluso se combatía; pero el objetivo era conseguir por la guerra lo que no se obtenía negociando, y era más lucrativo hacer prisioneros que dejar un campo sembrado de cadáveres.

En una semana, los franceses estaban delante de Alejandría. Allí se había apostado Galeazzo de Sanseverino con el grueso del ejército milanés para detenerlos. Una cosa es ser campeón en los torneos y otra lidiar con guerreros dispuestos a matar al contrario; la gentileza nada puede contra la fuerza en el campo de batalla. En vez de luchar, Sanseverino y su Estado Mayor huyeron de la fortaleza hacia Milán, seguidos de la tropa en el mayor desorden. Unos pensaron que Sanseverino era un cobarde inepto, otros que se había vendido, pero los allegados al duque me explicaron que habían convenido la retirada a Pavía, donde reforzarían una segunda línea de resistencia. Mal en cualquier caso.

Cuando Ludovico salió del convento deprimido por las conclusiones de los astrólogos, Milán estaba en efervescencia rayana en el caos: su secretario Landriano había sido asesinado en la calle, la gente resentía que hubiese doblado los impuestos y el clima de agitación amenazadora atacó los nervios del duque, que se abandonó a la desesperación como un niño mimado. Decidió abandonar Milán para reclutar otro ejército: iría a Alemania, donde su yerno el emperador Maximiliano podía conseguírselo. Se llevó el tesoro que tenía reservado para tal eventualidad: 240 000 ducados embalados en sacos especiales cuyas puntas no podían rasgarse, y gran cantidad de perlas; algunos soldados de confianza llevaban la coraza llena de ducados. Se fue con Sanseverino, el cardenal Hipólito de Este y otros íntimos; a los pocos días, Trivulzio, el condotiero de los franceses, entraba en Milán; el grueso del ejército acampó en el parque de Pavía, donde se alimentaron de los ciervos que Ludovico había soltado en profusión para su solaz. A los invasores, aquella región rica en árboles hermosos, campos floridos, praderas verdeantes, aguas corrientes, manantiales puros, jardines y villas de recreo, les parecía el paraíso. Siguieron comiendo ciervos.

Yo me recluí en mis apartamentos del castillo, que no se había rendido a los franceses y que, bien aprovisionado y defendido como estaba, era inexpugnable, al menos durante unos meses. Me ocupé de los dispositivos de defensa, repasé todos mis proyectos de armas para ver cuáles serían más útiles, pero me di cuenta de que eran difíciles de fabricar y más aún en estado de sitio. Ludovico debió prever su producción a tiempo, en vez de encerrarse con los astrólogos para que le contaran lo que él mismo constató pocas semanas más tarde. Debió emplearme más como ingeniero y menos como escenógrafo: la *Cena* y el caballo eran maravillosos como botín, pero imprácticos como armamento. ¡Qué difícil resulta cambiar de ideas cuando uno lleva décadas de esplendor pacífico imperturbado! Se olvida de las armas como quien no desea llamar al mal tiempo y cree que ninguna nube ocultará su buena estrella, pero la rueda de la suerte gira con la misma seguridad que las lejanas constelaciones y las estrellas cambian de sitio; la suya, al fin, periclitó y él no quiso preverlo. El duque perdió sus Estados, sus bienes personales y su libertad; ninguna de sus iniciativas se ha completado.

Como no se fiaba de su hermano Ascanio, otro error a sumar a su larga lista de despropósitos, confió el mando de la ciudadela a un deudo suyo que, al poco, negoció con Trivulzio la rendición del castillo. Salimos sin ser molestados. Yo me ahorré presenciar algo que me hubiese apenado: los arqueros gascones tomaron mi modelo en yeso del caballo como blanco para distraerse, provocando tales desperfectos en su recubrimiento que las lluvias de aquel otoño lo arruinaron hasta el punto de dejarlo inservible para sacar de él el molde con que lo hubiese fundido en bronce. Después de todo, ¿a quién le importaba ya una estatua de Francisco Sforza? La ironía del caso es que yo hubiese podido fundirla si Ludovico no hubiese enviado el bronce destinado a la estatua para que le forjaran cañones con que ayudar a los florentinos contra Pisa; eso era cuando aún se creía árbitro de los destinos de Italia y, por una vez, prefirió la utilidad al arte. Diez años de trabajo se perdieron con la desaparición de aquel caballo que era superior al *Gattamelata* de Donatello y al mismísimo *Colleoni* de mi maestro Verrocchio. Sólo quedan de él los testimonios de quienes lo vieron y que de nada sirven ante las acerbas críticas de Miguel Ángel, que aún me acusa de no ser capaz de fundir una estatua. ¡Si él supiera! Lo tenía todo calculado y preparado hasta en sus menores detalles: los hornos, el despiece para colar el bronce dentro del molde, las cantidades y costes del material: todo. Al no materializarlo, siempre podrán decir que era imposible, pero yo sé que no lo era y que iba a fundirlo aunque el caballo tuviese siete brazas de altura, algo jamás osado, ni siquiera en la Antigüedad. ¿Para qué insistir? La naturaleza está llena de infinitas causas que no trascendieron nunca a la realidad; mi Sforza equestre es una más, y Miguel Ángel que siga gritando su resentimiento contra el mundo por no haber nacido hermoso.

Con el caballo se derritió también el poder del duque, arrastrado por las lluvias de otoño. Al no ser de los que la desgracia endurece, su fin fue penoso, patético, incluso irrisorio. En el Tirol se dejó el tesoro por diferentes exacciones exorbitantes que tuvo que sufrir, pero recogió un ejército de veinte mil suizos y borgoñones con los que regresó a Milán. Los franceses se retiraron de la ciudad pero no del castillo. En posesión de la capital, Ludovico, aconsejado por su nuevo astrólogo —que había heredado el puesto e incluso las posesiones de Rosate, caído en desgracia, ¡cómo no!—, salió de Milán para apoderarse de Novara. ¡Nunca lo hubiera hecho! Cuando las cosas van mal cualquier decisión contribuye a la catástrofe: en la desolación no hacer mudanza. Una vez en Novara, sus mercenarios suizos comenzaron a desertar, protestaron por no cobrar con prontitud y se negaron a combatir con sus compatriotas que venían en el ejército francés. Ludovico imploró, fundió su vajilla para pagar, prometió, pero le dejaron caer. Con el ejército francés avanzando hacia Novara y los suizos negándose a combatir, Ludovico no tenía más remedio que huir o entregarse. Pensó que sería tratado mejor si se entregaba voluntariamente a Luis XII, pero cuando se disponía a hacerlo los suizos —que no querían perderse la recompensa— le convencieron de que le llevarían a lugar seguro tras sus líneas.

A la mañana siguiente estaba Ludovico disfrazado de suizo, sus cabellos recogidos bajo el casco y pica en mano. Cuando un buen número de suizos hubieron desfilado ante los franceses, el generalísimo La Trémoille se impacientó de no ver al duque y obligó al contingente que quedaba a pasar uno a uno bajo una alabarda: el duque fue reconocido por su corpulencia, su aire distinguido, poco marcial, y, sobre todo, su palidez, que en tal circunstancia no era sólo congénita. Sanseverino fue arrestado con él. Por haber intentado huir deshonrosamente, Luis XII no quiso tratarlo con honores, le obligó a pasar vergüenza en Asti, donde la turba le apostrofó a los gritos de: «*Mora il Moro!*» Luego sufrió una entrada infame en Lyon, escoltado por guardias vestidos de negro y montado en una mula, para que todos le vieran como una rareza. Parecía enfermo y temblaba. Fue encerrado en un castillo, donde le privaron de sus servidores italianos, perdió el apetito; sólo comía fruta y no logró entrevistarse con Luis XII, que se negó inexorablemente a recibirle. Intentó evadirse en una carreta de paja, pero se perdió y lo capturaron. Su libertad de movimientos fue reducida aún más y murió en el torreón de Loches, no lejos de aquí. En total pasó nueve años de cautiverio.

En Milán, su caída y prisión se recibieron como se aceptan los cambios inevitables, con disgusto, resignación y esperanza. Luis XII vino a tomar posesión de su ducado, Isabel de Aragón le fue a presentar sus respetos acompañada de su hijo. El rey se llevó al *duchetto* a Francia y, para que no tuviese descendencia, le hizo tomar órdenes eclesiásticas en una abadía perdida; murió hace poco de una caída de caballo mientras cazaba. Su madre,

Isabel, la mujer más desgraciada de su época, se refugió en Nápoles, donde vio cómo Fernando el Católico desposeía a su tío Federico de la corona; se fue con éste a vivir a la isla de Ischia, donde pasó el resto de su vida bajo la dominación española.

Así, Italia entraba en el desorden: traición, saqueo sobre saqueo, invasión tras invasión, acabaron con aquel milagro ático que fuera la Florencia de mi juventud, o la grandeza romana del Milán de mi madurez. Las solemnes crueldades de la Iglesia, que comenzarían con Savonarola, la codicia francesa, la altanería española perturbarían irreversiblemente la vida italiana, que hasta entonces llevamos al esplendor. Para el gobernante, el exilio supone perderlo todo; no así para el artista, que lleva su poderío consigo. Marchar de Milán tras dieciocho años de residencia y servicio al duque me causó una agradable sensación de libertad: podía dedicarme a seguir los temas que me interesaban y sólo ésos.

Si Italia entraba en el desorden, mi vida, en cambio, conocía un inesperado respiro de libertad: la invasión nos había arrancado a la fuerza del cáliz aterciopelado que era la corte de Ludovico, del cual no habríamos salido de grado pues amamos las rutinas, aun aquellas que nos aburren; las desgracias, catástrofes o desengaños son el disolvente indeseado que, a pesar nuestro, fundirá las situaciones enquistadas y posibilitará que la vida cambie; *«solve et coagula»,* escribieron los alquimistas, ¡qué gran verdad!, sin el estado fluido, maleable, abierto no es posible componer, crear, coagular formas de belleza, ideas de verdad, intensa vida nueva.

Como el voluble que, ante la adversidad, se refugia en la bebida, yo me refugié en las matemáticas. Dios, que aprieta pero no ahoga, quiso que Luca Pacioli estuviera en Milán cuando llegaron los franceses. Aquel verano, cuando los invasores bajaron de los Alpes, me dediqué a estudiar el movimiento y el peso; Luca me enseñaba los algoritmos geométricos necesarios para consolidar mis observaciones con teoría, pues no hay certeza en las ciencias donde no pueda aplicarse una de las ciencias matemáticas. Quien argumenta alegando autoridad, no usa la inteligencia sino su memoria. La mecánica es el paraíso de las ciencias matemáticas porque con ella la matemática madura sus frutos. La experiencia no miente nunca: es vuestro juicio el que yerra prometiéndose efectos que no son causados en los experimentos. Los hombres se equivocan al acusar a la experiencia de engañosa: dejad a la experiencia tranquila y volved vuestras quejas contra vuestra propia ignorancia, que os lleva a fantasías e insensatos deseos; esperáis de la experiencia cosas que no están en su poder. Antes de fundar una ley sobre un caso, haz dos o tres experiencias y observa si cada prueba produce los mismos efectos. Hay que alegar primero la experiencia y luego con la razón demostrar por qué tal experiencia está constreñida a obrar de ese modo. Y ésta es la forma veraz en el proceder de los especuladores de efectos naturales. Y aunque la naturaleza empieza por la causa y termina en la experiencia, vosotros debéis seguir el camino inverso: empezar con la experiencia y por medio de ella, investigar la causa. La naturaleza está llena de infinitas razones que aún no se han manifestado en la realidad.

Yo me refugié en tales elucubraciones para apartarme del mundo real que no me complacía. ¡Dichoso aquel que lleva dentro de sí otros mundos en que habitar cuando las adversidades de éste le hastían! Yo siempre los he tenido y a ellos me remito cuando el malestar de las horas infaustas me resulta insoportable.

En la misma ala de la Corte Vecchia donde yo tenía mi estudio vivía la desgraciada Isabel de Aragón, viuda de Juan Galeazzo por obra y gracia mías. Como nunca sospechó mis maquinaciones, creyendo culpable al desterrado Ambrogio da Rosate, se distraía conversando conmigo y yo me esforcé por hacerle la vida agradable en aquellos días inciertos —para todos menos para ella— pues nada podía ya perder tras perderlo todo: marido y ducado. Ignoraba que aún debería entregar su hijo al rey francés, que lo llevaría lejos de ella. Yo le diseñé un dispositivo para que su bañera tuviese siempre agua caliente: la temperatura ideal se consigue mezclando tres partes de agua caliente y cuatro de fría. Mientras yo me ocupaba del agua del baño, los franceses progresaban hacia Milán: el duque no conseguía organizar la defensa, Sanseverino divagaba, el pueblo se amotinaba. Yo seguía inmerso en el mundo de la mecánica.

El duque huyó a Alemania y los franceses entraron sin disparar un cañonazo, que así deben ser las guerras entre gentes civilizadas. Los cortesanos del duque huyeron, yo me quedé: el conde de Ligny, generalísimo francés, me propuso entrar a su servicio para revisar las fortificaciones toscanas. Yo le dije que le esperaría en Roma para ir con él a Nápoles. Hubiese ido con ellos, máxime después de que el rey contempló la *Cena* y la declaró perfecta, al punto de querer arrancarla del muro para transportarla a su país; por desgracia no lo hizo y ahora la *Cena* se está deteriorando en Milán, donde, al parecer, una pintura más o menos no importa. No fui con los franceses porque destrozaron mi modelo del caballo: un disgusto más en aquellos días aciagos ya no me desequilibraba, pero me afectó profundamente la puerilidad bárbara de aquellos soldados que no sabían apreciar una obra de arte. Así que recogí mis libros, envié mi dinero al hospital de Santa Maria Nuova en Florencia, compré zapatos, sombrero, un manto en piel de gamuza y partí con Luca. Salai se quedó con Bozzone, no sé si en Milán o Pavía: la guerra había dispersado mi taller como había desbaratado la ciudad. No le eché de menos.

El itinerario más seguro era vía Mantua hacia Venecia para dirigirme luego a Florencia, ¿dónde si no? Luca era un amigo para mí entrañable, casi no le traté en Florencia, pero en Milán fue una compañía constante, agradable, esclarecedora. Yo he aprendido casi todo lo que sé o bien por mí mismo, observando la naturaleza, dibujándola, anotando, o por conversaciones con hombres de conocimiento. Escuchar a Alberti era una delicia, conversar con Toscanelli un rito; de cada uno procuraba yo extraer los datos y teorías que me faltaban. Poco he aprendido en libros, aunque me he servido de Vitrubio, Ptolomeo, Plinio, Avicena e incluso Aristóteles. Con

Luca aprendí geometría, que era su pasión. Luca Pacioli había sido de joven discípulo de Piero della Francesca, de cuya hija se enamoró, como suele suceder cuando el aprendiz reside en casa del maestro, pero la joven no le hizo caso y prefirió a un acaudalado comerciante. Esto, que sucede a la mayoría de los mortales, fue tomado por Luca como un pésimo presagio de lo que le esperaba en la vida, de modo que ahogó su rencor contra el género humano —y no poco contra su Creador— recibiendo las órdenes menores y marchándose al convento, del cual, por cierto, salió reconociendo ser peor remedio que enfermedad. Su afición eran los sólidos platónicos, figuras compuestas sólo con polígonos regulares. Ya sabes que son cinco: el cubo, la esfera, la pirámide triangular, el heptaedro y el dodecaedro, y que Platón los estimaba compendio de perfección formal y estructura íntima de la materia. En Milán habíamos formado con él, el músico Gaffurio y otros una especie de academia con la cual Ludovico quería eclipsar la de Lorenzo en Florencia. A mí me interesaba la comparación entre intervalos musicales y distancias en la perspectiva pictórica que Gaffurio explicaba ampliando las teorías pitagóricas. Luca, que era un poco charlatán, pretendía que, después de gran trabajo y largas noches de estudio, había llegado a encontrar las formas de los cinco sólidos y las que derivan de ellos, sus cánones y la deducción de las relaciones entre ellos, para que aprovecharan de ellas todos los técnicos e investigadores cualquiera que fuese su arte, especialidad o disciplina, tal como lo declara el divino Platón en su *Timeo*.

Yo no quería entrar en discusión sobre el *Timeo,* Platón o Pitágoras. Lo que me interesaba era que Luca me diese las medidas, estructuras y forma de construir los cinco sólidos perfectos, que lo demás ya lo observaría yo por mi cuenta. Así lo hizo y a cambio me pidió que le dibujara las ilustraciones en su libro sobre la *Divina proporción.* Yo le tomé simpatía y procuré atraerle hacia el albergue del Cordero donde, cerca de la catedral nos reuníamos varios artesanos: el pintor Marco d´Oggiono, el escultor Simoni, el organista Martegli; allí procuramos cambiar su opinión sobre el género humano que él, al final, ya mantenía con humor y para llevar la contraria. Así que cuando Luca marchó conmigo de Milán era un amigo irónico, si no risueño, y abierto a lo que pudiese depararnos la vida. Y a fe mía que no pudimos quejarnos.

Mantua era entonces una ciudad hermosísima, construida en el lago que forma el río Mincio, de suerte que sólo se accede a ella por dos puentes construidos sobre el lago, lo cual la convierte en plaza fuerte; sus murallas tienen cuatro millas de circunferencia. Los Gonzaga son señores de Mantua desde hace dos siglos: el palacio ducal es uno de los más esplendorosos de Italia, tiene seis mobiliarios diferentes, uno para cada apartamento, además de una infinidad de pinturas, estatuas, bargueños, jarrones de oro y plata, un unicornio, un órgano de alabastro y seis mesas, la primera de esmeralda, la segunda de turquesa, la tercera de jacinto, la cuarta de zafiro, la quinta de ámbar y la sexta de jaspe; aunque a mi entender, su más preciado tesoro es haber dado nacimiento a Virgilio.

Nuestra anfitriona en Mantua era Isabel de Este, casada con el marqués Gonzaga. Pelo dorado, ojos negros, perfil exquisito, yo debía haber sucumbido a su belleza o simpatizado con su despiadado esteticismo, pero algo en ella me perturbaba: tenía un frenesí mental, inmoderada en placeres intelectuales, era más una libertina que una amante de las artes. Era demasiado inquieta, quería absorber lugares lujosos y momentos exquisitos con una delicada rapacidad que me repugnaba; a mí, que me sucede lo mismo. Solemos detestar a los que más se nos parecen y maldecir a quienes son lo que en el fondo deseamos ser. Isabel gustaba, no amaba; era mucho más dura que su hermana Beatriz, o era fría por temperamento o bien había adoptado la represión como modo de agudizar sus valores estéticos. Dirigía toda la violencia de su sangre Este hacia el éxtasis estético y se colmaba con la posesión de *cose adorne.* No transpiraba amor. Era la antítesis de su cuñada Lucrecia Borgia, que emanaba la perturbante atmósfera de deseo que algunas inconscientes hijas de la belleza pueden exhalar, quedando ellas inmunes. Isabel de Este acogió a numerosos exiliados milaneses en su calidad de cuñada de Ludovico el Moro. Ya tenía allí con ella a mi íntimo compañero de fatigas Atlante Migliarotti, con quien llegué a Milán y al que ahora volvía a encontrar al salir de allí. Atlante, al que yo había enseñado a improvisar, se había hecho célebre como cantor, y eso le valió la protección de la duquesa y una vida regalada en Mantua, donde se le apreciaba por su talento musical en el papel de Orfeo. Contrariamente a la mayoría de los músicos que he conocido, Atlante era gran conversador y por ello no desentonaba en la corte de Mantua. Había desarrollado las habilidades improvisatorias del cómico ambulante, del titiritero de feria, y las había puesto al servicio de un fino don de interpretación. A diferencia de Luca, su vida había comenzado en la disipación y ahora se asentaba en el papel de seriedad que su puesto de músico de corte requería. Su compañía fue un consuelo, pues nos hizo sentir como en casa.

A ello contribuyó también la presencia de las dos amantes de Ludovico, Cecilia Gallerani y Lucrecia Crivelli, que residían con Isabel de Este como si fuesen cuñadas suyas, tal era la magnanimidad y elegancia espiritual de aquella dama, que me persiguió implacablemente ¡para que le pintara su retrato! Había pedido el de Cecilia para compararlo con el natural y Cecilia, con muy buen sentido, le advirtió que si veía divergencias no era falta mía sino del paso de los años. Dibujé a Isabel para corresponder a su hospitalidad, convenciéndola de que sobre el dibujo realizaría un óleo, lo cual hubiese llevado a cabo si hubiésemos permanecido más tiempo en Mantua, pero Luca y yo deseábamos pasar a Venecia porque sabíamos que allí existían buenas bibliotecas de manuscritos griegos y traductores expertos en leerlos. Además, mis ideas sobre navegación y guerra naval podían encontrar su aplicación remunerativa. En Mantua sólo podía ser pintor y escenógrafo; en Venecia todo, era la más rica entre las opulentas ciudades de Italia.

Luca Pacioli tenía cinco años más que yo. De joven había estado ya en Venecia estudiando con Bragadino, pues allí tenían lectores públicos de matemáticas; luego había pasado a Roma, donde tuvo la suerte de vivir con Leon Battista Alberti; eso se lo debió a Piero della Francesca, que era de su pueblo, Borgo San Sepolcro, y le tenía mucho cariño, quedando desolado por lo de su hija. Él pidió a Alberti que acogiese a Luca cuando éste realizaba su viaje de aprendizaje en busca de sabiduría. Porque has de saber, Francesco, que en mi niñez, que era en tiempos de la juventud de Luca, no se aprendía en casa, ni en el pueblo, ni siquiera en la ciudad: se aprendía viajando de un lugar a otro en busca del maestro o experto que se sabía habitaba en un sitio u otro. El que quería aprender algo inquiría dónde estaban los que sabían de aquello y se encaminaba allá para llamar a la puerta del maestro, que los acogía según su humor, talante o posibilidad. Así, Luca, por Piero o por sus gracias personales, tuvo la suerte de que Alberti le alojara en su casa, circunstancia que aumenta inmensamente las posibilidades del aprendiz sincero.

Estoy seguro de que fue Alberti quien inculcó a Luca su reverencia religiosa, y así el amor fracasado con la hija de Piero lo volcó en la divina proporción. La revelación de ésta a Luca por Alberti fue como una epifanía, una sagrada iniciación a los misterios del número y sus ocultas coherencias internas, que así nos pasábamos el conocimiento cuando no habían libros impresos. Por eso tengo la compulsiva costumbre de anotar lo que he aprendido, lo que pienso. Te parecerá superfluo a ti que has nacido ya entre libros impresos, pero los que venimos de la enseñanza oral y manuscrita nos servimos de apuntes y cuadernos como estos míos que tú deberás guardar.

Estando Luca con Alberti, vivió el segundo desengaño que le arrojaría definitivamente al mundo infaliblemente seguro de las matemáticas para apartarse de las precariedades de éste. Andaban cavando Alberti y él por la Via Apia en busca de tesoros romanos cuando dieron con un sarcófago: era de mármol y tenía una inscripción: «Julia, hija de Claudio.» Cuando despegaron su tapa contemplaron dentro, yacente, el cuerpo de una hermosísima muchacha de quince años, preservada de la corrupción e injuria del tiempo por preciosos ungüentos. Parecía dormida, tanto el rosa de la vida flotaba todavía sobre sus mejillas, animaba sus labios como en callado pálpito, y se hubiera dicho que aún respiraba, pues sus ojos y labios estaban entreabiertos; abundante cabellera rodeaba sus hombros. Entusiasmado, Alberti la llevó con sumo cuidado al Capitolio, donde había reunido para el papa una colección de hallazgos antiguos. En seguida corrió la noticia y comenzó una peregrinación de gentes de todos los barrios de Roma para contemplar y venerar esta santa del mundo pagano. Tal fue la fascinación por esta reliquia que las gentes la declararon más hermosa que cualquier mujer de nuestra época y le tomaron gran devoción. Entonces el papa, alarmado y no deseando que este nuevo culto dañara la devoción ortodoxa, ordenó que el cadáver fuese enterrado a escondidas una noche. Al día siguiente, Alberti se encontró el sarcófago vacío y comprendió lo sucedido. Luca se llevó tal disgusto que concibió gran resentimiento contra aquella fe que así destruía la belleza. Se dedicó con mayor ahínco a estudiar y enseñar las divinas matemáticas porque había comprendido que sólo las ideas son indestructibles y que la belleza será inmortal cuando conozcamos sus fundamentos matemáticos imperecederos. Ésa ha sido la labor de su vida, y de la mía, por eso le dibujé gustoso las ilustraciones de su libro.

Luca lo había escrito de joven para agradecer a Piero della Francesca sus incesantes bondades, por eso se parecen tanto el libro de Luca y el que Piero regaló a Guidobaldo de Urbino y que se titula *De quinque corporibus regularibus*. Quiero dejar esto claro para limpiar la memoria de mi amigo, al que se le acusa de haber plagiado a Piero della Francesca: lo que hizo en realidad fue plagiarse a sí mismo. A Luca no le perdonaron que el general de los franciscanos le nombrase comisario en el convento de su pueblo, Borgo San Sepolcro, para reconducir a los hermanos a la regla estricta: los frailes se le rebelaron, sus enemigos le acusaron de vanidoso, indelicado, celoso e ingrato. Pero ya comprenderás que un hombre honrado con la amistad de Piero della Francesca y Leon Battista Alberti no puede ser desprestigiado por mediocres frailucos.

Nos fuimos de Mantua; él, en perfecto caballero, le regaló al marqués un tratado sobre el juego del ajedrez que redactó allí mismo para agradecerle su hospitalidad. Yo le dejé a la marquesa Isabel su retrato a la acuarela y la promesa del óleo, que por suerte la lejanía me impediría cumplir. Digo por suerte porque Isabel era incómoda: proclamada por los poetas y cortesanos la «*prima donna dil mondo*», alabadas sobremesura sus virtudes, valentía (más que el Moro y tanta como su marido Gonzaga), su ingenio, su erudición y buen gusto, con riqueza para comprar arte o encargando a sus protegidos: Mantegna (el melancólico y potente Mantegna, cuyo pincel se movía al ritmo de las solemnes estanzas de Lucrecio), Perugino, Giovanni Bellini, Lorenzo Costa, Rafael, yo, si me hubiese dejado, era sin embargo de carácter puntilloso, tiránico, de mujer consentida. Si los demás querían obedecerla no era cosa mía, sí lo era mi libertad, que he puesto siempre por delante de todo, pues si alguna vez te parece que me pliego a órdenes, obsérvame bien y verás que sólo lo hago a quien me manda de lejos, sin entrometerse en mi vida personal y quehacer cotidiano. Como a un halcón real, a mí sólo se me manda ofreciéndome el brazo para posarme. Isabel de Mantua es insoportable. Me dijo Perugino que le escribió 53 cartas sobre una alegoría que ella había imaginado y él se resistía a pintar. Al pobre Bellini le puso un pleito para obtener el cuadro como ella quería. Comprenderás que yo no he bandeado a Lorenzo el Magnífico y Ludovico el Moro para luego dejarme agobiar por esta virago de las bellas artes, esta monja artista, hetaira de la perspectiva.

He procurado dar a mis movimientos un sobrio sentido musical porque la música es el arte de las transiciones. Los silencios entre notas son como los instantes de soledad que nos otorgamos para recapitular el sentido plausible de la vida, si lo hubiere. He amado la soledad con mayor deleite que la compañía: soy un mundano que sabe estar solo y por ello mi trato con los demás es sinceramente desinteresado; me gusta comprender cómo es cada cual, sin necesitar nada de ellos. A veces me aburro, pero otras doy con caracteres que me abren sensibilidades de las que carezco.

Mis espacios de soledad son silencios entre las notas en la melodía de mi vida, que he deseado armoniosa y noble, sin estridencias ni efectos rebuscados. Música como la que improviso, la que le enseñé a Migliarotti y que Josquin des Prés apreciaba. En este momento de rotura, cuando Milán quedaba atrás y comenzaba un viaje incierto, me sentí como en aquel día en que subí al monte Roso, desde donde dominaba los cuatro ríos que riegan toda Europa: el Po, el Danubio, el Rin y el Ródano. Los glaciares brillaban a mis pies y estos abundantes ríos eran sinuosos hilos en el fondo de los valles. Estaba por encima de las nubes, era como si volara quieto, planeando sobre Europa. La soledad y el silencio me llevaban más allá del bien y del mal, deseos o recuerdos, rencores o placeres. Una vez más estaba en aquel punto sin espacio ni tiempo donde ser y no ser se llaman, justo más allá de las distinciones que surgen al actuar. En cuanto se mueve un dedo o piensa una palabra se ha perdido; pero si se mantiene ese silencio sin tiempo, se comprende la fusión de opuestos. Luego, al hablar o pensar, se pierde. Ojalá en pintura la haya conseguido preservar y sugerir en las caras del Precursor y la Madre, para que otros trasciendan a ese estado, más allá de los opuestos. Ése es mi secreto, Francesco, y no hay otro. Para esos momentos he vivido. Son la única certeza que puedo dejarte; si los hallas, lo comprenderás. ¿Cómo reconocerlos? El tiempo se para, todo está bien, la extensión abierta, nada sagrado.

Llegamos a Venecia, donde Luca Pacioli tenía buenos amigos. Les había dejado, en anterior estancia, un tratado de partida doble para que los comerciantes llevaran con exactitud el balance de sus cuentas, y vive Dios que eso era el mejor regalo que se podía dejar a los patricios venecianos. Le había granjeado grandes afectos en la ciudad.

Venecia es un mundo entre cielo y agua, reposadas lagunas alimentadas por aluviones de ríos cansados, inmensa flor de loto flotando hacia el Adriático. Lo que Milán parecía estar soñando en lánguidos ocasos, aquí se hacía realidad. Sobre fundamentos de aguamarina surgen palacios de áureo bordado en rara confusión de ojivas cistercienses con ensueños musulmanes: esmeralda de Sidón, azul de Tiro y rosa de Chipre. En los jardines conclusos, el dorado resplandor trepaba hacia los cipreses. Una suave penumbra verdosa habita sus templos; las cúpulas y torres resplandecen luminosas cual inmensas anémonas en la pureza de la luz que, al atardecer, se vela entre neblinas antes de desfallecer. Su grandeza se asienta en el más excelso entrelazado de intereses y poderes jamás bordado por una oligarquía: su dogo se había transformado en símbolo, investido de un esplendor solitario y sacramental, como un rey sacerdote arcaico que desposaba la mar en místico matrimonio. La vida pasaba como una procesión y la mascarada era incesante. Su excesiva riqueza la habían fundido hasta destilar una atmósfera de ocio dorado y lujoso sosiego que a mí me enervaba.

Yo no había ido allí a sumergirme en sus lujos, sino a ganarme la vida mientras encontraba un mecenas fijo. El día que Luca y yo llegamos, los turcos estaban quemando las alquerías de Friuli y sus fuegos se veían desde el Campanile. Una vez más, el irresponsable sin escrúpulos de Ludovico había causado el desastre: en el período más tortuoso y desesperado de sus últimos meses había incitado al sultán Bayaceto para que los turcos atacasen Venecia. Por mar, el almirante Kemal-Ris había tomado Lepanto y derrotado la flota veneciana. Por tierra, avanzaron hasta las puertas de la ciudad. Así que me entrevisté con el Consejo de los Doce para proponerles medios de defensa y ataque.

Para prevenir futuras incursiones de los turcos recomendé inundar el territorio invadido, y para ello había que construir una gran presa en el río Isonzo sobre Gorizia. Habiendo examinado la naturaleza del río Isonzo y habiendo oído de los habitantes del distrito que de cualquier lado que viniesen los turcos debían pasar este río, decidí que debía inundarse allí al ejército invasor.

Era necesario defender nuestra tierra italiana del embate del turco y por ello puse, no sin aprehensión, mis estudios submarinos a disposición del Consejo de Venecia. Propuse un ataque submarino para liberar los prisioneros venecianos en manos de los turcos después de la pérdida de Lepanto. Los guerreros submarinos debían llevar gafas de cristal y odres de cuero llenos de aire para respirar en el fondo. Bajo el agua, por medio de un taladro metálico aplicado bajo la línea de flotación, podían hundir la flota turca. Me consta que, en la India, los pescadores de perlas y coral usan un tubo para respirar bajo el agua, pero no me servía esto para la guerra pues puede ser visto: mi sistema es aplicar el tubo a un odre lleno de aire que se lleva atado al cuerpo.

Pero el arma definitiva es una máquina por la cual muchos hombres pueden estar bajo el agua bastante tiempo, arma que no he divulgado jamás a causa de la naturaleza maligna del hombre que la utilizaría para asesinar en el fondo del mar, destrozando la quilla de los barcos y hundiéndolos con sus tripulaciones. Este método podía acabar la guerra de modo inmediato, pues se lanzaría un ultimátum: si no os rendís en cuatro horas os enviaré al fondo. Mi propuesta era concluir un contrato legal ante notario por el cual yo percibiría la mitad de los rescates que Venecia se ahorraría al liberar los cautivos con mi arma submarina. Pero como tantas otras cosas en mi vida, este plan infalible, perfecto y original no fue puesto en práctica. No cobré un ducado, pero tampoco les entregué los dibujos de mi máquina submarina. Ni les di mis croquis para equipar a un hombre de modo que pueda andar por el fondo o sobre el agua, así como flotar en caso de naufragio.

¿Por qué los venecianos, que viven del mar por su comercio con Levante, no se precipitaron a quitarme de las manos estas invenciones? Por lo mismo que caen las hojas de los árboles en otoño: la naturaleza se repite, sólo el hombre innova, pero el hombre, que sale de ella, aún está inmerso. Está más cerca del animal que del ángel hacia el cual evoluciona. Lo dijo Pico: podemos elevarnos al ángel o descender a la bestia. La mayoría de hombres siguen gobernados por instinto más que por razón. La diferencia entre instinto y razón es que los efectos del razonamiento aumentan sin cesar, el instinto permanece en un estado siempre igual. Las colmenas de las abejas estaban tan bien medidas como ahora hace mil años y cada una de ellas forma su hexágono tan exactamente la primera vez como la última. Así es en todo lo que producen los animales —y la mayoría de hombres—. La naturaleza los instruye a medida que la necesidad aprieta, pero esa frágil ciencia se pierde pasado el apremio: como la reciben sin estudio, no la saben conservar, y cada vez que se les da les viene de nuevas, porque la naturaleza, no teniendo por objeto más que mantener a los animales en un orden de perfección acotado, les inspira esta ciencia simplemente necesaria y siempre pareja por miedo de que no decaigan, pero no permite que añadan por miedo a que pasen los límites que les ha prescrito.

El hombre es un experimento en curso, un maravilloso camaleón al que un osado demiurgo ha metido la inteligencia en su cuerpo animal. El animal no piensa, no resiente nostalgia ni teme al futuro, por ello vive tranquilo y muere sin preverlo. El hombre, en cambio, paga el don del pensamiento al precio de la angustia y el remordimiento. Equilibrar razón e instinto, emoción y pensamiento es el dilema del experimento humano. ¿Nos vamos a extrañar de que prevalezca casi siempre el instinto? Los animales demuestran cuán infaliblemente precioso ha sido su instinto para sobrevivir, no podemos culpar al hombre si se aferra a él y desecha las innovaciones. El inventor de cosas maravillosas se descorazonará en vano viendo cómo ignoran sus artefactos que mejorarían la vida humana, cómo rechazan lo que contribuiría a su bienestar.

No por ello, los que pensamos, los que evolucionamos hacia el ángel, vamos a dejar de investigar y proponer invenciones. Lo haremos por nosotros mismos, por mero placer de saber y crear, y si alguna de estas cosas cae en terreno fértil, veremos con alegría aumentado el placer humano y la parte del ángel sobre la bestia. No voy a lamentar que mis invenciones submarinas no fuesen adoptadas, mejor no dar a la bestia humana medios más poderosos de cometer bestialidades. Supongo que otras invenciones mías más risueñas serán adoptadas cuando yo no esté para verlo, ¡qué más da! ¿Por qué estudio sino para mi propio placer, apartar el aburrimiento, alimentar el ángel que germina en mí con más fuerza que en otros? Yo he visto más porque he subido a espaldas de gigantes: Aristóteles, Avicena, Roger Bacon, Nicolás de Cusa, Toscanelli, Alberti. Otros se alzarán detrás de mí y yo les serviré de apoyo. Con eso me basta.

Mi mejor recuerdo de Venecia es Giorgione. Tenía él veinticuatro años cuando le conocí. Hermoso, oscuro, delgado, brillante, con música en sus ojos, él también se había abierto camino con la lira, que tañía magistralmente. Le conocí en el palacio de Catalina Cornaro, reina de Chipre retirada a su Venecia natal. Catalina era una Isabel de Este con el atractivo erótico de una Lucrecia Crivelli. Giorgione estaba fascinado por el poder magnético de aquella reina desposeída que reinaba sobre una corte de poetas, músicos y pintores, que es sobre lo único que vale la pena reinar. Como todo joven bien nacido, Giorgione se me acercó para aprender de mí —y porque yo, a mis cincuenta años, aún estaba de buen ver—. Nada me produce mayor placer que encarrilar a jóvenes con sensibilidad en la búsqueda de su personalidad artística. Tú sabes muy bien, Francesco, que yo no he creado escuela de pintura pese a convivir con numerosos aprendices. Yo no he querido crear escuela, no necesito que me imiten; me gusta ayudar, a los que lo piden y lo merecen, a descubrir su propio estilo. Desgraciado el aprendiz que no supera a su maestro. No necesité imitadores ni corifeos, sólo quiero regar flores que se abran tal como son y paguen mi ayuda con su perfume.

Llevé a Giorgione a la casa que Luca y yo teníamos en el Fondaco y allí le enseñé algunas de mis obras, que le afectaron —me dijo— por su extrema suavidad. Le enseñé los secretos del óleo, la perspectiva y el esfumado, sobre todo esto último, pues en él reside mi «extraña suavidad». Giorgione era como un Botticelli misterioso y poético, sus cuadros eran enigmas más que alegorías y tenían las luces cernidas que tanto me complacen. Yo me lo hubiese llevado conmigo, pero él estaba prendado de la Cornaro, reina de Jerusalén, Armenia y Chipre. Me han contado que ya ha muerto, y de un modo que le hace aún más cautivador. Un dogo de Venecia trajo una esposa griega a la ciudad cuya belleza era tan refinada que sólo podía bañarse en el rocío de la mañana; sus doncellas remaban al amanecer hasta las islitas desiertas de la laguna para recogerlo. Giorgione a veces salía a punta de día por la laguna para captar matices de azul en el despertar luminoso del agua y dio con el grupo de doncellas que extendían sábanas de hilo sobre la hierba para empapar el rocío y llevarlo a su señora. Les habló, les cantó, tañó la lira y se hizo introducir a la portentosa griega, que eclipsó en su corazón a Catalina Cornaro. Hasta que un día la delicadísima dama contrajo la peste, que no valió de nada el rocío para protegerla. Y cuando ella moría, Giorgione, arrebatado, la besó en los labios, por lo que también murió él al cabo. ¡Qué hermosas muertes las que resumen una vida! Qué pocos sabemos convertir nuestra muerte en obra de arte, cumbre y cinosura de aquello por lo que hemos vivido. Yo debería morir abrazado a un ángel, consumido por su ardor seráfico, del que no desearía despegarme.

Yo veía a los venecianos regodearse en su riqueza, ajenos al hecho portentoso que acabaría con su hegemonía. El veneciano Marco Polo había vuelto de Catay contando sus esplendores; el genovés —algunos me dicen que es judío mallorquín— Colón navegó a poniente para alcanzar Catay y dio con otro continente, que mi amigo Vespucio está explorando y describiendo. Este año, Colón ha vuelto a Castilla cargado de cadenas, tal es la ingratitud de los poderosos con aquellos que los hacen ricos, o quizás son los celos por no soportar a nadie más meritorio que ellos, que sólo se han tomado la molestia de haber nacido. Dejémoslo. Lo grave para Venecia es que no se percatan de que esta nueva ruta y la de Vasco da Gama van a cambiar el mapa del comercio del mundo, pues nadie se aventurará en la ruta de la seda si puede llegar a Cipango por mar sin dejar sus propias naves. Pero ¿a quién podría yo advertir de ello, de qué hubiese servido mi presagio? Sólo Américo Vespucio coincidía conmigo —de hecho fue él quien me lo hizo ver—, y él estaba trabajando para Florencia, que veía con muy buenos ojos una seda venida por otros caminos, libres del monopolio veneciano.

Si los venecianos, autocomplacidos en su riqueza, no quisieron oírme sobre la importancia del descubrimiento de Colón —que les afectaba vitalmente—, no me quedaban esperanzas de persuadirlos sobre la conveniencia de adoptar las invenciones técnicas que les proponía. He visto ya tantas veces el prototipo del rico que se cree inteligente porque es rico, cuando no es más que un imbécil con dinero, las más de las veces adquirido por casualidad, herencia, incluso por error. Como también los he visto tras perderlo —¡qué patética inseguridad reflejan entonces!—, no me cabe duda de su identificación con él. Pues bien, cuando lo tienen te miran por encima del hombro, te escuchan con suficiencia y te despiden condescendientes como a una criatura que no sabe lo que dice. Así, o poco menos, me sentí tratado por los venecianos, de modo que intimé a Luca mi deseo de partir para ganar Florencia, que me parecía el punto lógico donde recalar y conseguir encargos, si no mecenas.

Cuando nos aprestábamos a partir llegó Salai, que por lo visto se había cansado de la estulticia de Bozzone. Supongo que, además, habría consumido el dinero que le dejé al irme. Está muy bien disfrutar de la juerga con un joven disipado en vez del trabajo en el taller de un hombre maduro, pero incluso el placer sin mezcla de actividad, contacto con el mundo real, con personas normales y sensatas, deviene tedioso. Así que apareció en Venecia. Lejos de excusarse, me reprochó mi amistad con Luca, le repliqué tranquilamente que si deseaba tener conmigo una relación como la de Luca, no tenía más que estudiar geometría o escribir un tratado. Como estaba sin recursos y sabía que conmigo tenía la vida asegurada, plegó velas y optó por utilizar su lado cariñoso, que lo tenía en grado sumo cuando quería, y acabó sacándome tres ducados de oro porque quería unos zapatos de color rosa con sus adornos.

Fui a ver el *Colleoni* de mi maestro Verrocchio, la mejor escultura ecuestre del mundo, incluido el *Marco Aurelio* romano. Verrocchio tiene su estatua en bronce, yo he perdido la mía: a él le amenazaron de muerte para que la terminara, a mí me han destruido el molde. ¿Por qué él sí y yo no? Coincidimos en una cosa: él me hizo regalos cuando yo era joven y me consintió caprichos, como ahora yo concedo a Salai: es tan bello en sus ropajes verde y rosa.

CÉSAR BORGIA

Cuando por fin pasé de Venecia a Florencia tras veinte años de ausencia, el talante de mi ciudad había cambiado tanto como el mío: ya no era la ciudad de Lorenzo el Magnífico, sino una república abrasada por el fanatismo de Savonarola. Era la ciudad de las tres hogueras: el fuego de las vanidades, donde ardió lo bello y lo superfluo; el Juicio de Dios, donde quedaron en ridículo apóstoles y detractores de Savonarola, y la pira donde fue ajusticiado el profeta. Demasiado fuego, demasiada teología y demasiado fanatismo para no haber herido de muerte la serenidad ática y el frescor de la Florencia de mi juventud. No hallé a Florencia en Florencia cuando regresé y por ello supe casi desde el primer día que no me demoraría mucho tiempo. Quién sabe si la aciaga denuncia pesaba todavía en mi conciencia, aunque yo más bien diría que fue la pena que me produjo reencontrar la ciudad vacía del talento con que la dejé al marchar: Lorenzo había muerto en el 94 llevándose con él la paz de Italia; Ficino yacía enterrado en el Duomo; Poliziano, muerto con el hábito de dominico por complacer a Savonarola; Pico della Mirandola, muerto también, no sin antes haber quemado sus poemas de amor y renunciado a su maravillosa obra de síntesis del paganismo con el cristianismo.

A Sandro Botticelli le encontré destruido, resignado y fanático: su pintura no seguía a Ficino sino a Savonarola, aunque ninguno de los dos viviera ya. Había renegado de su luminosa evocación del paganismo, había quemado en la hoguera de las vanidades sus muchas bellísimas mujeres desnudas para satisfacer al fanático profeta que, como todos los puritanos, delataba su fascinación ante la belleza y el lascivo apetito de su corazón apaciguando el deseo por la destrucción. Sandro estaba tan perturbado que había escrito en su última Natividad: «Esta pintura, de final del año 1500 en los conflictos de Italia, yo Sandro la realicé en el tiempo medio después del tiempo, en el momento del cumplimiento del versículo II de San Juan en la segunda guerra del Apocalipsis al desatarse el demonio por tres años y medio, para luego ser encadenado según el 12 y lo veremos pisoteado como en el cuadro.» Me causó mucha pena verle así, pero ¿cómo ayudarle? Lorenzo di Credi también había sufrido; en cambio, Perugino y Andrea del Sarto se prestaron a ayudarme en mis comisiones, que yo me resistía a aceptar, pues en ese momento el pincel me impacientaba. Ni siquiera contesté a Isabel de Mantua que por carta o emisarios me importunaba infatigablemente pidiéndome su retrato al óleo. Creo que en eso también fui el primero: afirmé la libertad del artista frente al mecenas; algo inaudito y que sólo se me toleró a mí, quizás porque fui el único en atreverme.

Seguía en el paraíso de la geometría con Luca, vivíamos juntos y su presencia era un contrapeso a los desplantes caprichosos de Salai, que seguía en su papel de ángel diabólico, mi penitencia viviente. Prefería aprender la multiplicación de raíces que pintar otra *Anunciación*: después de todo había pintado ya el mejor fresco, el mejor óleo y el mejor dibujo jamás realizados, ¿qué más debía probar? La pintura dejó de interesarme, al menos hasta que abordé el último desafío: mi madre, Salai, pero eso sería mucho más tarde. Vivía al día, inestable y sin objetivo alguno, y di en pasar las noches en el hospital de Santa Maria Nuova, donde me guardaban el dinero y donde me dejaron diseccionar cadáveres. Hubiese tenido problemas con la Iglesia, pues abrí más de treinta, si no hubiese estado apoyado por los médicos de Santa Maria Nuova, que venían de la gran tradición florentina y boloñesa. Hay quien dice que es mejor ir a la anatomía que ver estos dibujos, y yo le daría razón pues soy defensor de la experiencia directa. Si fuera posible ver todas las cosas que se muestran en los dibujos en un solo cuerpo, en el cual, con todo tu ingenio, no verás sino unas pocas venas; y como un solo cuerpo no dura tanto tiempo es preciso proceder poco a poco en tantos cuerpos como sea necesario para ganar conocimiento completo; y esto lo repetí dos veces para ver las diferencias. Y si tú hubieras afición a tal cosa, serías quizás imposibilitado por el estómago, y si éste no te lo impidiera, lo serías seguramente por el miedo a habitar en las horas nocturnas en compañía de muertos descuartizados, despellejados y espantosos de ver; y si esto no te lo impidiera, quizás te faltara dibujar bien, como requiere esta representación, y aunque tengas tal habilidad puede no ir unida a un conocimiento de la perspectiva, y si es así, te faltará el orden de la demostración geométrica y el orden del cálculo de las fuerzas y poder de los músculos; y seguramente te faltará la paciencia y no serás diligente. De si todas estas cosas han estado en mí o no, los ciento veinte libros compuestos por mí darán sentencia. No he sido frenado por avaricia ni negligencia, sino solamente por el tiempo.

En esta decepción en que me había sumido el mal estado de Florencia llegó una oferta de parte del mecenas que menos había previsto: César Borgia. El duque de Valentinois tenía veinticinco años cuando me enroló a su servicio como arquitecto e ingeniero militar; para entonces tenía detrás de él una leyenda de esplendor, crueldad y crimen; era en ese momento el personaje más fascinante de Italia, provocando a su alrededor miedo, asombro y extraños entusiasmos. Con delicada habilidad, crimen despiadado, grandes alianzas, favores políticos y un don innato de acción, se movía impasible entre sus capitanes, sus poetas y sus hetairas, forjándose un reino como yo construía una obra de arte. Tenía valor, genio y arrojo; sus enemigos le recelaban con supersticioso temor porque se le atribuía *virtu* y fortuna, esos dones del cielo que no se ganan ni se merecen, sólo se reciben de manos de la ciega fortuna, mientras se reciben.

Yo sabía demasiado bien que si la fortuna es ciega, también es inconstante, y me apresté a servir a César mientras su suerte durase. Me fascinó desde el primer momento su serenidad, esa personalidad dueña de sí misma, retirada, misteriosa, que recibía embajadores a altas horas de la noche aunque se hubiese pasado el día enmascarado en pleno carnaval. No era malévolo, sólo le interesaba el poder. El gélido orgullo español de su padre, el papa Alejandro VI, se fundía con la mórbida sensualidad italiana de su madre, la hetaira Vanozza. Una muchacha alta, hermosa y muda —que algunos suponían varón— le seguía a todas partes. Me fascinó como el poder impersonal de las fuerzas de la naturaleza; como ella, César no golpeaba por el placer de pegar, sino que, como el rayo, fulminaba lo que se oponía a su paso. Si hubiese sido rey, su magnificencia habría sobrepasado la de Ludovico. Además, yo estaba en un estado de ánimo, acentuado por mis largas vigilias con cadáveres, en que el espectáculo de la devastación no me era repugnante, antes el contrario. César era como la fuerza ciega de la Necesidad que pone el mundo en movimiento con la admirable justicia del Primer Motor, que no ha querido que nada creado falte en su poder del orden y cualidad de sus necesarios efectos, porque si una potencia debe arrastrar una cosa vencida cien brazas, y si ésta en su obediencia es detenida por algún obstáculo, el Primer Motor ha decretado que el choque violento cause un nuevo movimiento, el cual, por diferentes sacudidas, acabará cubriendo el entero camino que tenía predestinado. César era como esa fuerza que empujaba las cosas derrotadas por los caminos de la necesidad, revelando nuevas potencias en las colisiones.

Con él guerreaban magníficos capitanes, Yves d'Allegre, D'Aubigny, Ercore Bentivoglio, Gian Paolo Baglioni, el conde de Caiazzo, hermano de Sanseverino y mejor soldado que éste, Vitellozzo Vitelli, que me prestó el libro de Valturio sobre el arte de la guerra y me prometió un códice de Arquímedes que nunca llegaría. Entre los poetas nadie destacado: Sperulo, Aquilino, Orfino, Calmeta; mejores arquitectos: Bramante, San Gallo, Martini e incluso el turbulento escultor Torrigiani, que había propinado el puñetazo a Miguel Ángel que le desfiguró la nariz. Entre todos ellos, el personaje que logró interesarme más asiduamente fue el secretario de la república florentina Nicolás Maquiavelo, amargado ya entonces porque hubiese deseado aconsejar a César y tenía que limitarse a observar sus movimientos para referirlos a la Signoria de Florencia, inquieta, como Venecia, por las hazañas del Borgia. Conversando con Nicolás Maquiavelo aprendí mucho. ¡Yo que tanto he trabajado para enseñar a ver, estaba ciego a las realidades del lado interior de la pupila, los entresijos inextricables y retorcidos del cerebro humano! El cerebro es convoluto cuando se examina fríamente sobre la mesa de disección, pero cuánto más tortuosas son las ideas impalpables que circulan por no sé qué canales misteriosos de este amasijo blancuzco, grasiento y gelatinoso que gobierna los pensamientos, los temperamentos de los hombres y sus estados de ánimo.

Maquiavelo me ha enseñado que por mucho que conozca la forma y funcionamiento de la realidad, el corazón del hombre, su pensamiento, prevalece sobre la amable neutralidad de la naturaleza, tiñéndola de esperanzas, honores, delicias, ambiciones. ¡Saber ver!, sí, pero ¿con qué ojos? ¿Acaso existen ojos neutros, simples, inocentes, que den a la naturaleza el color que es suyo? Mis ideales se tambalearon ante el cinismo sabio de mi amigo, pues ¿de qué nos servirá estudiar la mecánica de las cosas si el corazón del hombre es capaz de conculcar sus causas y efectos, si, ebrio del poder que le da el conocimiento, se abalanza sobre las cosas, las fuerza, las domina y las constriñe a realizar efectos que no están en la naturaleza? El poder del hombre para obrar contra natura me horroriza: ¿dónde trazará la línea, qué le detendrá si por el estudio mecánico de las causas consigue lograr efectos que le interesan? No se detendrá ante nada. El uso que César hizo de mis ingenios en los asedios es una prueba dolorosa e irrefutable del peligro que llegarán a tener mis conocimientos. ¿Cómo evitarlos escribiendo de derecha a izquierda, cosa que un niño con un espejo lograría descifrar en un momento?

Maquiavelo era mucho más expeditivo: él no creía en los hombres, estaba prendado de mi modelo físico del mundo y quería aplicar la eficacia de la mecánica a las razones de Estado. El fin justifica los medios como la palanca, bien apoyada, levanta el peso más pesado. No entraba en consideraciones que fuesen más allá de los hechos: la moral, la metafísica, la piedad le son ajenas; él pregunta lo que quiere lograr el príncipe y le ayuda a conseguirlo. ¿Es éste el resultado de mi ciencia, serán todos tan ciegos que aplicarán los estudios sobre seres inanimados al juego de poder entre los hombres?

César fue incorrecto, para mi gusto, sólo en el caso de Astorre Manfredi de Faenza. Que en Sinigaglia asesinase a Vitellozzo, Oliverotto y Orsini no se le puede reprochar, puesto que ellos iban a hacer lo mismo con él si no se les hubiese adelantado. Maquiavelo estaba entusiasmado con lo que toda Italia aclamó como «*bellisimo ingagno*», la duplicidad y sangre fría con que César acogió a los conjurados y los llevó, puertas adentro, a su muerte en Sinigaglia: ¡qué serenidad, qué presencia de ánimo! Yo mismo no supe hasta el último momento que César los estaba engañando, tal era la naturalidad afectuosa de su cortesía. Lo de Sinigaglia estuvo perfectamente justificado en las reglas del juego político, pero lo de Astorre no: se le prometió libertad al rendir Faenza y en vez de ello César le llevó consigo a Roma, donde le encerró en las mazmorras de Sant'Angelo. Poco después, su cuerpo profanado apareció en el Tíber. ¿Es justo atribuir a César los crímenes y depravaciones que sucedieron en torno suyo? En todo caso, si no fue el causante de estas aberraciones, sí fue la causa última, ya que sin él Astorre nunca habría marchado a Roma ni hubiese perdido para siempre su aire de melancolía que lo hacía tan atractivo. No se puede negar que César tenía tendencias un tanto fuera de lo normal, de otro modo no habría encadenado a Catalina Sforza, señora de Forlì, a su carro triunfal para pasearla por las calles de Roma como un trofeo. Esto se lo reprochó incluso su padre, al que César ya no obedecía.

En las veladas invernales del sitio de Imola tuve tiempo de conversar sosegadamente con Maquiavelo. Incluso llegué a sincerarme con él y le expuse las dudas que arrastraba por haber acelerado la muerte de Juan Galeazzo Sforza. Él me dio la razón: el fin justifica los medios porque hay una incompatibilidad entre el bien privado y el público. No se puede gobernar un Estado con la misma moral con que se dirigen los intereses de una familia. Esto, para él, lo tenían claro los griegos y romanos, que eran sus admirados modelos: el ser humano es ingrato, libertino, falso o hipócrita, cobarde y ávido, arrogante y mezquino; con tendencia natural a ser insolente cuando las cosas le van bien y abyectamente servil cuando vienen mal dadas. Dicen amar la libertad pero la ponen por debajo de la seguridad, la prosperidad o el deseo de venganza. Son fáciles de corromper y difíciles de enmendar, responden por igual al terror que al amor, y si cupiese escoger entre ambos, el terror es lo más fiable. Si los seres humanos fuesen de otro modo quizás pudiesen crear una sociedad cristiana, pero no lo son: abogar medidas ideales, válidas sólo para ángeles es una irresponsabilidad que conduce a la ruina de los Estados. Para Maquiavelo, las virtudes cristianas son obstáculos insuperables para construir el tipo de sociedad que él cree conveniente.

El mundo antiguo valoraba la valentía, vigor, fortaleza en la adversidad, orden, disciplina, felicidad, justicia; para Maquiavelo, el *Pericles* de Plutarco, la Roma de Tito Livio eran las horas cumbres de la humanidad, lo que debemos recuperar. Contra ello se alzó la moral cristiana que propone caridad, piedad, sacrificio, amor de Dios, perdón al enemigo, desprecio por las cosas de este mundo, fe en la otra vida y en la salvación del alma individual. Con semejantes principios —opina Maquiavelo— no se va a ninguna parte, y menos que nada al siglo de Pericles o la Roma de Augusto; las virtudes cristianas no permiten estructurar una polis: la fe cristiana ha vuelto débiles a los hombres, presa fácil de los «malvados», hasta pensar más en cómo soportar las injurias que en vengarlas; el cristianismo ha quebrado el espíritu cívico, haciendo soportar las humillaciones, de modo que los déspotas no encuentran resistencia. Es imposible combinar las virtudes cristianas —mansedumbre, salvación espiritual— con una sociedad vigorosa, estable, satisfactoria; luego hay que escoger: elegir el camino del cristiano equivale a condenarse a la impotencia política, exponerse a ser aplastados por hombres potentes, ambiciosos, astutos, sin escrúpulos; si se quiere construir una ciudad gloriosa como Atenas o Roma, hay que abandonar la educación cristiana. Eso es lo que hizo, sin decirlo, el ambicioso y pagano Ludovico. Es en lo que cree Maquiavelo; él no es inmoral, no sacrifica la moral a la política, sino que escoge entre dos morales —la cristiana y la pagana— que son distintas. A él le gusta el mundo de Pericles, Escipión, incluso César Borgia, en vez del de Cristo, san Pablo o Savonarola. Los valores de Maquiavelo no son cristianos, pero son morales. Los míos también, con la diferencia de que su ideal es político y el mío artístico, pero ambos somos paganos aunque no descendamos a publicarlo para no tener que discutir con frailes.

Si cuando Giovanpaolo Baglioni capturó a Julio II no lo hubiese dejado escapar, ahora estaría vivo; su crimen, según Maquiavelo, hubiese sido tal que su grandeza hubiese trascendido cualquier peligro que pudiese resultar de él. La naturaleza humana dicta una moralidad pública que difiere y choca con las virtudes que el hombre falsamente profesa creer. Cuando está en juego la seguridad de nuestro país no podemos atenernos a consideraciones de justo o injusto, de clemente o cruel, de encomiable o reprobable; en vez de ello, dejando de lado todo escrúpulo, uno debe seguir hasta el límite cualquier plan que salve la vida de su país y lo mantenga libre. Muchas de las cosas que me explicó Maquiavelo ya las había visto practicar a Ludovico, que, al parecer, las tenía de su familia. Por ejemplo: que hay que emplear terrorismo o bondad según requiera el caso: la severidad es normalmente más eficaz, pero la amabilidad, en algunas situaciones, da mejor resultado. Puedes suscitar terror pero no odio, porque éste acabará destruyéndote. Es mejor mantener a la gente pobre y en pie de guerra permanente porque ello será un antídoto a los dos enemigos de la obediencia: ambición y aburrimiento; y así los súbditos sentirán la constante necesidad de grandes hombres que los conduzcan. La pugna entre los estamentos de la sociedad es deseable porque genera energía y ambición.

Yo le escuchaba en aquellas largas veladas del asedio de Imola mientras Nicolás Maquiavelo desgranaba su doctrina política tan fría y axiomática como la geometría de Luca; ¡sólo que él la aplicaba a los hombres y los pueblos como si fuesen cuerpos geométricos! Le hubiese gustado aconsejar a César Borgia, pero me temo que más bien acabó aprendiendo de él. No sé si al hijo del papa le habría gustado oír que se debe promover la religión aunque sea falsa, siempre que sea de las que preservan la solidaridad social y promueven las virtudes civiles. Cuando confieras beneficios, hazlo tú mismo, pero el trabajo sucio que lo hagan otros, porque ellos y no el príncipe serán acusados y el príncipe puede congraciarse cortándoles las cabezas. Haz lo que tengas que hacer en cada caso, pero procura presentarlo como un favor especial hacia el pueblo. Si debes cometer un crimen, no lo anuncies previamente, pues de lo contrario tus enemigos pueden destruirte antes de que tú los destruyas a ellos. Tu acción debe ser drástica, ejecutada de golpe, no en agobiantes etapas. El mal debe hacerse al principio y de golpe; el bien, poco a poco y en muchas veces.

No te rodees de siervos muy poderosos; los generales victoriosos se deben eliminar, de lo contrario lo pueden eliminar a uno. Puedes ser violento y usar tu poder para sobrecoger, pero no debes romper tus propias leyes pues eso destruye la confianza y desintegra el tejido social. Los hombres deben ser acariciados o aniquilados: componenda y pacifismo siempre son fatales. Planes excelentes sin armas no bastan, si no Florencia aún sería una república. Los gobernantes deben vivir en perpetua alarma de guerra. El éxito crea más devoción que el buen carácter; recuerda el destino de Pertinax, Savonarola, Soderini. Severo fue cruel y sin escrúpulos, Fernando de Aragón es traidor y astuto, pero practicando las artes del león y el zorro ambos escaparon a los lobos y las trampas. Los hombres te mentirán a menos que los obligues a ser veraces creando circunstancias en que la falsedad no compense.

El resumen de todo ello es que el bienestar del Estado no se rige por las mismas leyes que la felicidad del individuo; por eso, una vida no puede detenernos cuando se trata de asegurar la continuidad del grupo. Así lo entendía Ludovico y en ello yo le obedecí, no sin excesivas angustias que luego Maquiavelo me reprocharía hasta casi convencerme de que rendí un impagable servicio a Milán. ¡Cómo me gusta creerlo! Bendito Maquiavelo, era capaz de razonar diferente de casi todo el mundo y convencerte. Es tan inteligente como Pacioli y, como él, un geómetra que aplica los *Elementos* de Euclides a la política.

El duque César, que prácticamente no dormía, se sumaba a veces a nuestras veladas, pues como toda persona inteligente amaba la conversación por encima de cualquier otro placer, y él podía tenerlos todos. Una noche le pregunté por su turbia relación con Isabel Sforza, señora de Forlì, a la que derrotó, hizo prisionera y llevó a Roma cargada de cadenas como una nueva Zenobia —para ser él como un emperador, claro está—. Dimos así en un tema que debe interesarte, dada tu juventud y, sobre todo, tu candidez. Maquiavelo había aplicado su estilete al espinoso asunto y nos ilustró con un análisis lúcido, cruel y, por una vez, apasionado: nos expuso su teoría sobre el supuesto sexo débil.

Según él, el hombre caza con jabalina; la mujer, como la araña, caza con red. Inmóviles, tejen sus redes, urden sus tramas, lanzan sus señales y echan numerosos anzuelos. Al principio te lo darían todo, lo que tú hagas les parecerá bien, tus aficiones las compartirán: si gustas cazar con halcón, te animarán a ello; si jugar en las partidas de *calcio*, alabarán tu entusiasmo; si eres bebedor, beberán copiosamente contigo. Poco a poco, imperceptiblemente, a partir del momento que la sacudida en su sutil tela de araña les indica que estás envuelto, el leve tirón en el sedal que has mordido el anzuelo, comenzarán a ganar terreno, a entrar en el tuyo, descendiendo majestuosamente, milímetro a milímetro, desde la inmovilidad de su centro, y te darán la vuelta. Sin apenas darte cuenta te encontrarás oyendo que el halcón es un pajarraco insoportable, el *calcio* un juego embrutecedor indigno de caballeros, el vino malo para el hígado. Cuando estés atrapado, es decir, cuando ella sepa que no puedes pasarte sin ella, comenzará a mandar, pero nunca abiertamente ni dando la cara. Si ella desea un perfume de Trapobana no te lo pedirá, como harías tú con un amigo, antes conseguirá —y aquí reside el meollo de su arte— que tú le pidas por favor que adquiera ese perfume. Entonces, ella consentirá resignada, suspirará que lo hace sólo por ti y te pasará factura exigiendo encima otra cosa.

Tienen la suprema habilidad de hacerse obedecer sin demostrar que mandan. ¿Quién va a rebelarse contra quien no le manda? Son talentos que están en su naturaleza o que se transmiten de madres a hijas. Tienen el don de la videncia, lo que no ven lo adivinan, como si el tercer ojo de los gimnosofistas estuviese abierto naturalmente en ellas. Sólo hay un modo de combatirlas: no necesitándolas; pero ¡qué difícil! Nuestras madres nos han condicionado para desearlas y no poder pasarnos sin ellas. Somos incapaces de vivir en soledad, mucho más incapaces que ellas. Llevar una casa se nos antoja una montaña, cuando en realidad es sencillo cuando se dispone de medios. Yo lo he sabido hacer toda la vida, pero nadie me enseñó a ello, he tenido que aprenderlo solo.

Otra de sus artes es la capacidad de culpabilizar. Están, como un contable milanés, llevando las cuentas de lo que les debemos; todo cuanto nos interesa y que a ellas resulta indiferente —que es casi todo— nos será contabilizado. Si sales, porque sales; si no sales, porque no sales; serás culpabilizado y se te cargará en el debe. Ellas van sumando puntos en su diabólica cuenta a la contra y te siguen culpabilizando de no hacerles caso, de no adivinar lo que estaban deseando, de no decir lo correcto. El hombre que cae en este juego —y son casi todos— vive en constante desasosiego esperando el próximo instante en que se habrá equivocado, sin saber a ciencia cierta cuándo se equivoca, como el mal educado que no se percata de su incorrección. Por último, y para rematar este inmenso despropósito, cuando el hombre, por amor hacia ella, les hace un hijo está firmando su sentencia de muerte, porque en el momento de quedar encinta algo cambia en su cabeza y ya sólo tienen ojos para el hijo; el padre pasa a segundo plano, de amante queda postergado a marido, de cómplice a portador de dinero para que no le falte nada al niño. Ni con nobleza, ni con cariño, ni siquiera con amor se las conquista; sólo se las domeña con dinero. ¡Ay del que se casa con mujer rica!, entonces ya no tiene defensa alguna contra estos seres despiadados y sin memoria.

Divertido ante esta perorata sobre algo que —por fin— parecía hacer perder los estribos al gélido Maquiavelo, César le objetó que los hombres no les debían andar a la zaga en cuanto a defectos. Tampoco los hombres me han satisfecho —respondía Maquiavelo— y debería hablar tan mal de ellos o peor que de las mujeres, porque son más débiles y cobardes que ellas. Se creen más inteligentes porque practican la lógica aristotélica, sin percatarse de que ellas no la usan porque no la necesitan; la desechan como una herramienta insulsa, demasiado rígida para corresponder a la fluida realidad, demasiado lenta para adaptarse al ritmo voluble de la vida, demasiado lógica, en una palabra, para comprender las contradicciones de la realidad. Ellas ven, sienten y aciertan; nosotros inducimos, deducimos, argumentamos y erramos. Ellas son prácticas y realistas, nosotros abstractos e idealistas. Con lo cual, cuando los hombres van, ellas ya vuelven.

El hombre es impaciente como un niño mimado, ellas tienen la inmensa paciencia de la naturaleza y, lo que es peor para nosotros, su indiferencia. Por eso precisamente son las preservadoras de la especie. Sin ellas nos habríamos extinguido, y no porque den a luz, sino por su sabiduría aplicada a la realidad, y por su entereza, que no es fuerza física sino vitalidad.

El hombre es burdo, no capta los detalles. La mujer, quizás porque ha pasado miles de generaciones mirando la cara de sus niños para adivinar lo que necesitan, sabe leer en la cara de los hombres como un libro abierto donde las emociones, los recelos, los deseos se ven con la suntuosa claridad de las mayúsculas en un manuscrito iluminado. El hombre, en cambio, ve poco y ellas se desesperan porque no adivinamos lo que están deseando, y él se desespera porque no sabe lo que se espera que adivine, ni cuándo. Un conjunto de despropósitos, desencuentros y malentendidos causados por el error de creer que hombres y mujeres pertenecen a la misma especie cuando, en la práctica, son tan distintos como una abeja y una libélula.

Espoleado por esta incongruente comparación, Maquiavelo quiso contarnos el vuelo nupcial de la reina: cómo aquel ser introvertido en las cavernas de su colmena dejaba un día de primavera sus alvéolos reales y salía por vez primera a la luz, lanzándose hacia el cenit en un vuelo frenético. Los zánganos, alertados por su olor o su ruido, volaban en pos de ella, que subía y subía, mientras que los perseguidores en celo caían y caían exhaustos, hasta que uno solo la alcanzaba y la poseía, por breves instantes, pues en cuanto su aguijón fecundador entraba en ella la reina le partía el cuerpo por la cintura para quedarse con el miembro del macho, cuyo medio cuerpo mutilado caía al vacío hacia una muerte confundida con el espasmo del amor. La naturaleza es esa reina implacable que se sirve del macho y lo arroja, destrozado, hacia el suelo cuando él creía alcanzar el cielo.

No diré más. La naturaleza es como es y debemos aceptarla: si ha puesto en el hombre un deseo sexual más excitable que en la mujer, peor para el hombre, porque de ahí ha partido desde siempre el poder de la mujer sobre el hombre. La mujer le puede al hombre como el agua al fuego. De niño lo tienen entre sus brazos, de hombre entre sus piernas: ¿cómo no van a hacer de él lo que quieran? Mejor dedicarse a otras cosas, pero tomarlas como consejeras. «¡Hasta de política saben más que yo!», concluyó irritado Maquiavelo.

Lo que más me interesó en el servicio de César no fue revisar fortificaciones, sino prepararle mapas: le dibujé el centro de Italia, entre Val d'Ema, Bolsena, Perugia y Siena, marcándole las cuencas de los ríos, la estructura del suelo, las distancias entre fortalezas, ciudades, ríos y montañas. De las armas que diseñé, ¡qué te voy a decir!, una vez más, como en el envenenamiento de Juan Galeazzo, mi conciencia se divide entre lo que pienso normalmente y actos que me contradicen. Quien está a sueldo, aunque sea de modo elegante, al lado de un mecenas no es libre de rechazar las peticiones de éste. Yo estaba con un condotiero, el más glorioso de su época, gonfaloniero de la Iglesia, guerrero, político y diplomático. ¿Te imaginas a Bramante o a mí diciéndole a nuestro benefactor: No, esto no puedo hacerlo porque va contra mis principios morales? Si él, que es quien manda y, además, es hijo del papa y guerrea para él, no los tiene, ¿por qué hemos de tenerlos nosotros? Nada más lejos de mi talante ser más papista que el papa o más cristiano que el capitán general de la Iglesia. Así que no sólo imaginé y dibujé artilugios de guerra para César sino que, por una vez, conseguí ver realizado alguno de ellos. No los submarinos, que eso correspondía a Venecia, ni el gran pájaro, que aún no tenía resuelto entonces, sino el carro acorazado y propulsado desde dentro, tripulado por una docena de hombres que lanzan flechas o disparan arcabuces, amén de cuchillos giratorios en ruedas y perfiles exteriores.

Para ser francos, estas imágenes son más pavorosas en los dibujos que en la realidad, pues raramente el terreno se presta a usarlos, y como la mayoría de campañas del Valentinois fueron asedios hube de dedicarme a la tarea más ingrata y poco vistosa de perforar galerías, cavar minas y derribar torres. Eso sí lo hice bien y el duque me recompensó con su legendaria largueza; incluso me regaló un manto de seda azul incrustado de perlas que, cuando el duque cayó en desgracia, yo le pasé a Salai por ver cómo aquella ropa suntuosa realzaba sus rizos que cada vez él se teñía más claros para compensar el paso de los años, que ni siquiera para los jóvenes pasan en balde, como no pasan para los caprichosos como yo que, al ver los primeros síntomas de imperfección aparecer en el rostro efébico, sentí que empezaba a amarle menos. No veo otra explicación, ya que su carácter no había variado desde que le conocí, tampoco había abandonado su papel de ángel vengador contra mí, dándome placer y quitándomelo independientemente de lo que yo hiciese o cómo me portara con él. Era alternante e imprevisible como la naturaleza en los humores de la atmósfera, de frío y calor, lluvia, viento o bonanza. Si él seguía igual a sí mismo y yo sentía que le amaba menos, sólo puedo atribuirlo al cansancio normal que el tiempo infunde en cualquier relación o a que mi admiración por lo perfecto flaqueaba al menguar mínimamente la lozanía de Salai. Él lo notaba y no dejaba de aumentar su habitual dosis de celos, desplantes y aventuras provocativas que cada vez causaban menos mella en mí. Con cincuenta años cumplidos en el momento de entrar al servicio de Borgia, mis necesidades sensuales se habían eterealizado, mi necesidad de cambio estaba colmada con el incesante ir y venir por la Romaña con los ejércitos y mi sed de aventura podía apaciguarla en la guerra más que en la cama.

En un gesto de duplicidad magnífico, Isabel de Este envió a César, después del «bellísimo engaño», un regalo de cien máscaras de refinada factura que usamos con provecho en aquel carnaval. Debo contar entre los mejores momentos de mi vida aquellos meses junto a César Borgia, dejándome arrastrar en el torbellino de su esplendor, tomando parte en asedios, maniobras, cabalgadas vertiginosas, conversaciones con generales expertos en el arte de la guerra —algo de todo esto quedaría plasmado en mi *Batalla de Anghiari* en el salón de la Signoria—, conversaciones con César y Maquiavelo, bailes y carnavales, viajes continuos y una paga que no tuve que reclamar, como sucediera con Ludovico. Pues te diré que en cuestiones de honorarios estimo más la puntualidad y regularidad en el pago que la cantidad; cobrar a destiempo estropea la inspiración del artista, pues no sólo desanima sino que impide adquirir los materiales. Si la paga llega tarde, estás pensando ya en otra cosa; la inspiración es irreversible y queda convertida en estatua de sal cuando mira hacia atrás.

Me complacía estar junto a César pues mi imaginación, que a muchos parecía desbordada o utópica, correspondía a la extrema audacia de aquel príncipe. Bastardo como yo, como yo se había hecho a sí mismo; algunos decían que al precio de asesinar a su hermano, el duque de Gandía, para ocupar su cargo de gonfaloniero de la Iglesia, que su padre el papa tuvo que traspasarle. Nos estimábamos por nuestra común independencia de espíritu, por la inteligencia y nuestro desprecio a las reglas de la normalidad. ¿Quién decide lo que es normal para mí, sino yo mismo? Además me caía bien la soberbia prestancia de César, su elegancia osada. ¿Quién ha conseguido aunar lo elegante con lo llamativo sin caer en la ostentación? César sabía hacerlo y en ello era único; yo le admiraba tanto más por eso. Porque además era sólido, fuerte y enérgico. Me place acomodarme bajo la égida de hombres resolutivos, sólidos y potentes para disfrutar vicariamente a través de ellos ese lado de mi sensibilidad que no puedo sacar por medio del arte. En cierta manera yo, que creo locura bestialísima destruir el cuerpo de un ser humano por ser la admirable pieza de mecanismo que descubrí en mis veladas con los cadáveres, era más cruel que César. Él me daba la oportunidad de contrastar algunas de mis invenciones en la práctica. Yo que he vivido para las cosas de la mente con desinterés, por una vez me dejé llevar por el ruido y la furia de mi tiempo. Yo que compraba pájaros enjaulados para soltarlos, que soy vegetariano por no infligir daño a los animales, me dejé llevar por el entusiasmo de la guerra, el desafío de vencer, la resolución de problemas prácticos sin querer mirar su traducción en vidas humanas.

Y tú, hombre, que a través de mis trabajos puedes contemplar las maravillosas obras de la naturaleza, si juzgas atroz destruir algo de ella, reflexiona que es infinitamente atroz quitar la vida al hombre. Porque debes tener en cuenta que ese cuerpo compacto que te parece de maravillosa sutilidad no es nada comparado con el alma que mora dentro de esa estructura, y nadie tiene derecho a separarlos contra su voluntad.

Maquiavelo tuvo menos suerte que yo; él deseaba entrar en acción: aconsejar, urdir, conspirar con César, y se tuvo que contentar con observar y rendir cuentas por carta a la Signoria de Florencia; esa misión mezquina le desolaba porque él tenía conciencia de su valor como político y se sentía desaprovechado. Qué no hubiese dado porque César le llamara a consulta, pero ¿hubiese entrado a su servicio como yo? No sé si Maquiavelo era capaz de dejar su puesto de secretario de la república florentina. Para mí, la genialidad de Maquiavelo no está en sus teorías políticas, con todo y ser muy acertadas, sino en su prodigioso conocimiento del corazón humano: es el mejor examen del hombre que conozco, quizás el único, puramente objetivo, estudio desapasionado de las pasiones, llevado a cabo como la resolución de un problema matemático. En las largas veladas de aquel invierno de 1502 tuve amplia oportunidad y holgura para sondear el pensamiento del prodigioso Maquiavelo: es el mejor conocedor de hombres que he tratado en mi vida; en pocos instantes analiza una persona que acaba de conocer y la define certeramente en tres o cuatro trazos para retratar su carácter; a veces le bastan dos.

Un día llegó muy alterado y me preguntó: «¿Dónde está el de Valentinois?» Lo recuerdo bien porque era cuando yo empecé a usar cristales para ver: tenía yo cincuenta años. Me contó que el duque atravesaba momentos muy delicados y que le había confesado —una sinceridad que mostraba hasta qué punto se veía en peligro— que lo había previsto todo en caso de la muerte de su padre, excepto que en ese momento él también estaría gravemente enfermo, incapaz de actuar con rapidez. Y eso es lo que sucedió, de otro modo no se hubiese perdido aquel maravilloso político que era César. La fortuna quiso que un día del verano de 1503, cenando con su padre en la viña —y creo que su madre— que el papa poseía cerca de Roma, César y Alejandro VI se intoxicaron, por azar o designio de sus enemigos, que hay opiniones para todo. El papa murió a los pocos días y César se salvó de milagro, pero quedando muy menguado de salud. Para colmo de infortunios, el papa amigo que él impuso al cónclave murió en menos de un mes, dejando el camino libre a su enemigo jurado, Giuliano della Rovere, que accedió a la silla de San Pedro. Julio II acabó con César y lo hizo enviar a España cargado de cadenas. Aún supo escapar César de prisión, pero fue a morir, creo que desesperado, en una escaramuza cerca de Pamplona, donde se había refugiado con su cuñado, el rey de

Navarra. ¿Qué podía hacer él en España después de haber sido divo en Roma, gran señor de Italia? Estoy convencido de que buscó la muerte.

Me quedé otra vez sin mecenas. ¿A quién servir después de gozar la energía, el esplendor y la osadía del Valentinois? Maquiavelo me convenció para volver a Florencia, incluso consiguió que la Signoria me encargase un inmenso fresco sobre la guerra en el gran salón del Palazzo Vecchio. Lo malo es que en la pared de enfrente debía pintar Miguel Ángel otra obra similar: nuestros rebuscados compatriotas que no dan una puntada sin hilo —de lana o seda— querían ver al viejo maestro frente al joven prodigio. Yo no estaba en situación de rehusar: ya había rechazado la oferta del *podestà* Solderini para esculpir el bloque colosal de mármol que había en la ópera del Duomo y que Miguel Ángel había transformado en su portentoso *David*. En pintura no estaba dispuesto a cederle la primacía de ninguna manera. Debo señalar, de paso, que esa teoría de Buonarroti según la cual él saca del bloque de mármol la forma que yace dentro y está pidiendo salir me parece una necedad. Dentro de un bloque sin pulir yacen infinitas formas posibles y cada uno saca la que quiere o puede, lo demás es mala literatura a posteriori. Me horrorizan los artistas que teorizan después de trabajar; hay que hacerlo antes: hay que actuar antes de hablar y luego hablar según se ha obrado. Los creadores inventamos y las explicaciones posteriores suenan a huecas, son inútilmente gratuitas o cogidas por los pelos.

Perder al de Valentinois y tener a Miguel Ángel en la pared de enfrente fueron dos desgracias que me infligió el destino, que ya no volvería a ser amable conmigo hasta que te encontré a ti, Francesco. El gonfaloniero Soderini tenía debilidad por aquel joven neurasténico y desconfiado que había sido discípulo de Ghirlandaio y criado en el jardín de Lorenzo de Médicis, de quien, ciertamente, no aprendió modales. Soderini le encargó un fresco equivalente al mío sobre el motivo de la batalla de Cascina. Hay que decir que Miguel Ángel gozaba en ese momento de gran predicamento en Florencia, pues había terminado el *David,* el cual, para qué vamos a engañarnos, era más bello y desde luego potente que los de Donatello y Verrocchio, a los que triplicaba en tamaño. Por cierto que Verrocchio me usó a mí como modelo de su *David.* El de Miguel Ángel es una maravilla de fuerza y proporción, incluso de detalle, un caso claro de obra superando la calidad humana de su autor, exactamente al revés de lo que se piensa de mí. No sé qué es mejor. Me convocaron para asesorar a la Signoria sobre la colocación del *David* de Miguel Ángel. Giuliano de Sangallo opinó que debía situarse en la Loggia dei Lanzi para protegerlo de las inclemencias atmosféricas; yo estaba de acuerdo con él, así como Botticelli, Andrea della Robbia, Perugino y Lorenzo di Credi. Sólo Piero di Cosimo sugirió colocar los tres davides juntos en un altar de Santa Croce, dejando a la comisión en la duda de si hablaba en serio o se mofaba de ellos; con él nunca se sabía, pues, como en su pintura, distorsionaba la realidad hacia la ironía sin revelar sus verdaderos límites. Pero nuestro modesto autor, llevando la contraria a toda la comisión de artistas florentinos, logró de la Signoria que se le pusiera su *David* en la plaza, frente al palacio, en el mejor sitio, junto a la entrada. Le importaba más lucir en un lugar de máximo prestigio que proteger su obra de la destrucción atmosférica. En esa reunión ya vi el talante de Buonarroti, pero no lo calibré bien: cometí un error.

A los pocos días paseaba yo con Piero di Cosimo —al que costaba mucho sacar de casa— por la plaza de Santa Trinidad. Algunos amigos que estaban sentados en los bancos frente al palacio Spini me pararon para pedirme mi opinión sobre unos versos difíciles de Dante —creo que era aquel soneto que comienza «*Oltre l´esfera che piu largo gira*»—. En ese momento apareció en la plaza Miguel Ángel y yo, para ser amable con él —y porque tenía cosas que hacer—, le señalé amablemente y dije: «Aquí llega Miguel Ángel que os lo podrá explicar.» A esta cortesía respondió colérico: «¡Explícaselo tú mismo, tú que has hecho el modelo de un caballo que no has sido capaz de fundir en bronce y que, para tu vergüenza, has abandonado!» Mis amigos no sabían dónde mirar, yo me ruboricé y quedé sin palabras, él nos dio la espalda y, de lejos, como si lo hubiese pensado con dificultad, se volvió para gritar: «¡Y pensar que esos capones de milaneses confiaron en ti!» Piero di Cosimo me cogió del brazo y se me llevó de allí diciéndome: «Lástima que un hombre tan genial sea tan mal educado. Cuando lo he visto llegar con sus andares de verdugo, ese sombrero y las botas que no se quita ni para lavarse, sabía que no se podía esperar nada amable de él.» No se puede gustar a todo el mundo. Ni siquiera está en la mano de Leonardo conseguirlo.

Tuve que resignarme a que fuese así: el carácter, las convicciones, incluso el físico nos distanciaban; Miguel Ángel, devorado de inquietudes, incapaz de ser feliz —como una alma que no se sintiera a gusto dentro del envoltorio mortal que le había tocado—, se peleaba con todo el mundo, hasta el punto de que Perugino le tuvo que abrir un pleito por difamación. Torrigiani había sido más expeditivo y le partió la nariz. Discípulo de Savonarola, como tantos otros que parecían inteligentes —Sandro sin ir más lejos o el mismísimo Pico—, conservó algo de su fanatismo y ascetismo delirante: «Mi gozo es la melancolía», un programa de vida que yo no sabría admitir. Cuando se enriqueció continuó viviendo como un mendigo, un vagabundo; comía un trozo de pan y un vaso de vino, dormía sobre el polvo de lo que esculpía. En lo único que coincidimos es en los gustos amorosos, pero él se lo complicaba con remordimientos religiosos, aunque luego acababa implorando ternura de jovencitos hermosos y necios como el bueno de Tomaso Cavalieri. Un neurasténico como él no es capaz de aceptar con gracia un cumplido, quizás tiene miedo de mostrar fascinación por quien le parece un igual. Quién sabe. Tuvimos que tolerarnos y cada uno presentó su dibujo para el fresco de la Gran Sala. Me encantó el suyo, los soldados bañándose —desnudos, claro—, sorprendidos por el enemigo, corriendo a las armas.

El mío se proponía mostrar la bestialidad demencial de la guerra, pero buscando en ella lo que tiene de energía arrolladora, de fuerza vital llevada al límite, de belleza, en suma. Yo podía pintar una batalla, no esos juegos aparatosos de Uccello o los reposados despliegues de Piero della Francesca, sino el paroxismo de brutalidad, la apoteosis de movimiento terrible en un instante de violencia: el momento en que luchan por el estandarte. La intensidad es una cualidad devastadora: quema aquello que la alimenta, y mi pintura tenía que sugerirlo así.

Si quieres representar una batalla, mostrarás primero el humo de la artillería mezclado en el aire con el polvo levantado por el movimiento de caballos y combatientes. Harás enrojecer los semblantes de los personajes, el aire, los arcabuceros, sus vecinos, y ese púrpura se irá perdiendo a medida que se aleja de su causa. Las flechas remontan en todas direcciones, descienden, vuelan en línea recta llenando el aire, las balas de los arcabuces dejarán detrás de ellas una estela de humo. Si muestras un hombre caído en el suelo, reproduce las marcas de su resbalón sobre el polvo convertido en fango ensangrentado; y, alrededor, en la tierra viscosa, harás ver las huellas del pisoteo de hombres y caballos que han pasado por allí. Un caballo arrastrará el cuerpo de su jinete muerto, dejando detrás de él, en el polvo y el barro, las trazas del cadáver. Haz, los vencidos pálidos y descompuestos, las cejas altas y fruncidas y la frente hendida de arrugas dolorosas. Hombres en desorden chillarán, la boca abierta. Pon toda clase de armas entre los pies de los combatientes —escudos rotos, lanzas, trozos de espada y diversas cosas parecidas—. Los moribundos rechinarán los dientes, las pupilas en blanco, puños cerrados, las piernas torcidas. Podrás representar un combatiente desarmado y derribado que, vuelto hacia su adversario, le muerde y araña, por venganza cruel y amarga; se verá también un caballo sin jinete galopar en las filas enemigas, las crines al viento, causando estragos con sus cascos. O aun algún tullido derribado por tierra cubriéndose con su escudo, y al adversario que, volcado sobre él, le asestará el golpe de gracia. O aun un grupo de hombres abatidos encima del cadáver de un caballo. Varios vencedores abandonarán el combate y saldrán de la refriega quitándose con las dos manos, de ojos y mejillas, la espesa capa de barro formada por el polvo. Ten cuidado de no dejar un solo sitio plano que no esté pisoteado y saturado de sangre.

Me asignaron quince florines al mes para pintar el fresco y me avanzaron treinta y cinco, no fiándose de mi capacidad por acabar la obra en vista de la mala fama de mi caballo. Tuve que pararle los pies al cajero de la Signoria que me entregó la mensualidad en moneda pequeña. Le dejé con el dinero en la mano diciéndole: No soy un pintor al que se paga con calderilla. Soderini se irritó ante mi desplante y yo le devolví todo lo que había cobrado hasta la fecha. Al final me pidió excusas y seguí mi trabajo. Todo esto contrastaba demasiado con el trato de favor que gozaba Miguel Ángel, el cual, después de todo, también dejó el fresco inacabado. Yo al menos pinté en la pared el fragmento de la batalla por el estandarte. Él sólo hizo el dibujo y recibió tres mil ducados.

El fresco debía ser de veinte metros de largo por ocho de alto y si no lo completé fue por falta de tiempo —el rey de Francia pidió a la Signoria que me enviase a Milán— y también, debo reconocerlo aunque me duela, por aplicar una fórmula de Plinio al empaste que extendí en la pared para que sirviera de base o fijador de la pintura. Si los escritos de Plinio dan recetas incorrectas, ¿de qué sirven los libros? Yo creía que al menos los antiguos sólo escribían —como yo— cuando tenían algo que comunicar y no se podía confiar sólo en el mensaje oral. Para escribir ficciones no necesitamos a Plinio, ya tenemos a Boccaccio. Por cierto que las historias que cuenta de pintores me hacen ver que poco cambia bajo el sol: Clesidemo hizo un cuadro representando las liviandades de la reina Estratorice porque al no recibir de ella distinción alguna se vengó representándola retozando en el agua con un pescador al que se decía amaba. Clesidemo expuso esta pintura en el puerto de Éfeso y zarpó a toda vela. La reina, admirando la exactitud de los dos retratos, no permitió que se tocara la pintura.

Hay una observación de Plinio que me llega especialmente: dice que, de todos los hechos que reseña sobre pintores, el más curioso y digno de ser transmitido a la posteridad —¿sabía él que estaba escribiendo para la posteridad?; si los romanos hubiesen presentido lo que se perdería, habrían escrito con menos ganas— es lo que sucede con las obras maestras que la muerte obliga a los grandes artistas a dejar incompletas, como la *Iris* de Arístides, la *Medea* de Timomaco y la *Venus* de Apeles, que causan mayor admiración estando así truncadas que completas. En estos cuadros incompletos seguimos ávidamente los menores vestigios de los trazos intermedios: nos place conjeturar cuál sería el término proyectado; la pena misma por la pérdida del artista muerto se pone de su parte para encomiar el trabajo. Nos condolemos de lo que falta al cuadro y de la desgracia que sufren las artes por haber perdido un hombre célebre antes de que pudiese acabar una obra tan bella. Ya ves que nada hay nuevo bajo el sol y que quienes me reprochan no acabar mis obras deberían aprender de Plinio que es un viejo truco para apreciarlas. De modo que por culpa doblemente de Plinio dejé incompleta la *Batalla*.

CATALINA-LISA

—

Sacudido de acá para allá sobre un turbio mar por las tortuosas corrientes de la política, he vivido en el mundo del espíritu, donde arte y ciencia confluyen en sostenida armonía. He vivido abierto a cada influencia de la belleza, alerta a cada manifestación de un fenómeno natural en busca de leyes fundamentales y causas: la radiante brillantez de la luz y su efecto sobre el follaje y nubes vistas con el sol tras ellas, la variación en el verde de los campos según el grado de densidad de la bruma en la atmósfera, el efecto de ésta en la forma y color de los objetos naturales, paisajes con viento y agua durante la salida y la puesta del sol.

He pasado tardes enteras mirando las ondas del agua que se cruzan como las escamas en la piña, cómo reflejan la imagen del sol con el mayor esplendor porque sus imágenes son tantas como los pliegues de las ondas en las que el sol brilla y las sombras que sobrevienen entre ellas son pequeñas y no muy oscuras, y el esplendor de tantos reflejos se une en la imagen que transmiten al ojo, causando que las sombras sean imperceptibles. Otras veces, buena parte de la noche tratando largamente de cuadrar el ángulo con dos lados curvos de la misma curvartura, o sea, partiendo del mismo círculo (trazado con el mismo radio). ¡Lo descubrí la víspera de las calendas de marzo de 1509 a las diez de la noche del domingo!, y así lo anoté lleno de entusiasmo. Éstas han sido las alegrías de mi vida, Francesco, que ni el amor ni el aplauso ni por supuesto el dinero tienen nada que ofrecerme comparable a los placeres de la matemática, la anatomía, el estudio de la Tierra.

La muerte de mi padre por esa época y sobre todo la del tío Francesco me hicieron más vagabundo y errante, como si mis raíces en Florencia se hubieran marchitado y mi casa fuera ya el mundo. Mi padre no me dejó nada en herencia; sólo a sus hijos legítimos, que fueron demasiados. Normalmente hay más viudas que viudos. Mi padre fue un caso anormal, pues sobrevivió a tres esposas y sólo tuvo hijos de las dos últimas. Fue un hombre convencional, siguió el oficio de su familia, vivió en la ciudad, pocas veces volvió a Vinci, no le gustaba el campo como a su padre, Ser Antonio, o a su hermano, mi queridísimo tío Francesco.

Mi padre se fue a vivir a Florencia, se casó cuatro veces. He conocido a sus cuatro esposas y me he llevado bien con todas; mejor con Albiera, la primera, que hizo todo lo posible por ser mi madre en las raras ocasiones que Ser Piero se dignaba venir a Vinci. A Catalina mi padre no la vio nunca más: era de esos tímidos falsos que usan su timidez para apartarse de aquello que cuesta esfuerzo afrontar. Cuidado con esos pusilánimes cargados de buenas intenciones, no abrirían nunca un cadáver y la gente se seguiría muriendo por ignorancia, pero ellos sentirían que han cumplido con el piadoso respeto a los muertos. Eso sí, mi padre se ocupó de ingresarme en el taller de Verrocchio, donde no entraba cualquiera, y me atendió mientras no tuvo otros hijos. Por mi parte, yo también me distancié porque no tenía la edad en que uno vuelve a su padre, y cuando la tuve, yo vivía lejos y él con otros hijos. Cuando me dieron la noticia de su muerte no sentí casi nada; con el tiempo tampoco su recuerdo se ha engrandecido, al contrario de lo que sucede con el de mi madre, que es cada vez más intenso.

A mi tío Francesco le iba a visitar cada vez que pasaba por Florencia y, en las épocas de largas estancias, pasaba con él temporadas. Tardó mucho en casarse; cuando yo le insistía para que lo hiciese me contestaba que por qué no me casaba yo, a lo que no sabía qué responder. Él se reía, pero un día, supongo que sabiendo que pronto moriría —todos sabemos cuándo vamos a morir, la naturaleza nos lo revela como un secreto al que cada uno tiene derecho en su intimidad—, Francesco me dijo entre risas y veras que él no se había casado por culpa de mi padre. Al inquirir yo se echó atrás, como dándose cuenta de que había hablado demasiado; pero su cariño hacia mí le impedía negarme nada, y como yo intuyera que aquello era importante le conminé con mi irresistible afabilidad a que se sincerase conmigo.

Catalina, mi madre, o más bien Lisa, como él me descubrió que se llamaba, trabajaba en la hostería de Anchiano, donde paraban los cazadores en sus correrías por el monte Albano. Así la conoció mi padre, que él, Francesco, ya la tenía vista antes y se había prendado de ella; pero ya sabes cómo es la vida: A quiere a B, pero B quiere a C, como un teorema intransitivo, y Catalina, en vez de corresponder al amor de Francesco da Vinci, complació el capricho de Piero, y así nací yo, que hubiera preferido ser hijo de mi tío, lo cual es el colmo de la horfandad. Luego, cuando yo nací y casaron a mi madre con Accatabriga, Francesco la siguió visitando y ayudando: le daba noticias mías, le regalaba vestidos y libros, y dinero a su marido para que no la obligara a trabajar en los campos. El amor de Francesco la consoló de verse privada de mí, que Dios aprieta pero no ahoga. ¿Por qué se empeñaron los Vinci en llevarme a vivir con ellos en vez de dejarme con mi madre? No lo he sabido nunca; lo daban por hecho, algo normal que no se planteaba.

Mi tío Francesco me hizo saber que deseaba verme cuando se sintió enfermo y aprovechó mi última visita para revelarme la portentosa historia de mi madre y, con ello, de mi linaje. Catalina es el nombre que le habían puesto los campesinos que todo el mundo creía sus padres, pero Catalina había sido abandonada en la puerta de su casa por el criado y la doncella de un condotiero que vivía en las afueras de Florencia. La hija de éste, contra su voluntad, había concebido a Catalina de un aprendiz de Verrocchio, hijo a su vez de un gonfaloniero que dejó la carrera de armas de su padre por la de escultor. La madre de Catalina murió en un incendio y sólo la sirvienta conservó el secreto, que más tarde le revelaría a Catalina cuando murieron sus padres adoptivos. Me contó cómo mi madre supo así que se llamaba Lisa y cómo se dedicó a buscar el rastro de su verdadero padre, llegando a inquirir del propio Verrocchio, el cual sólo pudo decirle que aquel aprendiz tenía el apodo de *Cireno* porque parecía un patricio romano. De modo que mi vigor físico lo debo al abuelo materno, de un linaje de hombres de armas que dejó la espada por el cincel y que trabajó con el maestro de Verrocchio en el mismo taller que yo. ¿Por qué no me contó todo esto ella misma? Pasó por la vida como una esfinge guardando su secreto, sonriendo y amándome tiernamente, pero dejando sin decir que ella era bastarda como yo, con el agravante de no haber conocido a sus padres; de ahí su empeño en que yo me criase en la familia del mío y lo tratase aunque ella no lo viera. Su amor con mi padre fue tan fugaz como el de su madre con el suyo. Vidas paralelas, amores que no se encuentran nunca, líneas que huyen hacia el infinito sin alcanzar el maravilloso punto de fuga de la perspectiva del cual emana toda la armonía de un cuadro bien resuelto. Mi vida es como esas paralelas: ¿qué amor ha logrado desviarlas para sentir el roce de la ternura? Acaso el tuyo, Francesco, y el de tu homónimo, mi tío, al que debo estas revelaciones que me inquietaron profundamente.

Me consolé en la camaradería de los artistas florentinos. Vivía en casa de Piero di Braccio Martelli, una familia influyente en la ciudad, patrones de arte; en ese momento moraba también allí Giovan Francesco Rustici, que estaba esculpiendo tres figuras en bronce —un fariseo, un levita y san Juan— para la puerta norte del baptisterio. Yo le ayudaba en la construcción de los moldes y me dio mucho placer participar en el acabado —¡por fin algo terminado entre mis manos, aunque fuese obra de otro, acaso por eso!— de las esculturas, a cuyo fundido le di los últimos toques con el beneplácito amistoso de Rustici. Nos aveníamos muy bien: él coleccionaba, como yo, animales extraños que guardaba en sus habitaciones, y éstas eran el centro de reunión de los artistas en Florencia. Había fundado la Sociedad del Caldero y la Paleta, que celebraba banquetes entre artistas: uno de los que yo disfruté empezó con la entrada de Ceres buscando a Proserpina, que venía a pedir a los hombres del Caldero que la acompañasen al infierno. Plutón se negó a entregarla pero los invitó a todos a sus bodas. Pasamos a través de la boca del can Cerbero y nos encontramos en una alcoba circular, donde un demonio abominable nos colocó en nuestro sitio. Alrededor de esta estancia estaban pintadas las cavernas de los condenados, mostrando sus penas y tormentos, con llamas que salían de pronto de ellas. La comida que se servía eran animales repulsivos y restos de cadáveres putrefactos. Plutón ordenó recomenzar los tormentos, se apagaron las luces y se oyeron alaridos de dolor e imprecaciones. Por fin, tras mucho lamento, alimento putrefacto y maldición jocosa de los allí presentes, se encendieron las luces y se comenzó el banquete comestible. Ya comprendo que todas estas chanzas, leídas, no te impresionarán demasiado, pero tenías que haber estado allí: el gozo de vivir, la bonhomía, la cordial amistad que nos unía —por supuesto, Miguel Ángel nunca asistió—, el ingenio, el humor que se cruzaba como juegos de artificio chispeantes entre unos y otros, cada uno diciendo la suya a cuál más disparatada, procaz o irreal, convertían aquellas reuniones en verdaderos bálsamos del espíritu, que nada hay más saludable para la mente del que busca la belleza y se exige la perfección que la amistad manifestada con alegría. Aquí aprendí yo muchos de los chistes que he anotado en mis cuadernos, como el del cura con el bisopo o el pintor que hacía los hijos de noche, que ya te he contado. Recuerdo que un día Rustici le dijo a un amigo suyo que andaba murmurando y hablando mal de otro miembro de la Sociedad del Caldero y la Paleta: Tendré que dejar de tratarte, aunque te aprecio, porque no quiero que si hablas mal de mí, que soy amigo tuyo, los otros tomen mala opinión de ti; si no nos tratamos parecerá que somos enemigos, y cuando tú hables mal de mí, como es tu costumbre, serás menos reprochable.

Otra vez le tocó a Luca Pacioli representar un pitagórico: afirmó haber estado en el mundo en otras vidas. Tanto es así —le dijo a Rustici—, que recuerdo que en una de ellas eras molinero. Ahora que lo dices —le contestó el otro— yo me acuerdo de que tú eras el asno que me traía la harina. No te he contado la anécdota de los frailes de viaje que coinciden en la hostería con un mercader. Les sirven un pollo y el comerciante les dice: Supongo que, según la regla de vuestra congregación, no podeis comer carne, con lo que se zampó el pollo entero mientras ellos tenían que hacer de tripas corazón por no deshonrar sus hábitos. Al cabo prosiguen viaje todos juntos y a pie, los frailes por pobreza y el otro por avaricia, hasta llegar a un río. Como iban descalzos, uno de los frailes tomó al comerciante a cuestas y, cuando lo pasaba por el río, se acordó de san Cristóbal y luego de la regla de su orden; se paró en medio de la corriente y le preguntó: Dime, ¿llevas algún dinero encima? ¡Pues claro! ¿Cómo quieres que comercie sin llevar dinero? ¡Nuestra regla prohíbe que llevemos dinero encima! Y sin más lo arrojó al agua. A un dormilón le dijeron que saliera de la cama, que ya se había levantado el sol: Si yo tuviese tanto que hacer como él, ya me hubiera levantado, pero como tengo que hacer muy poco camino aún me quedaré un rato. Naturalmente, el humor también viraba a cuentos de grano grueso, como el de la panadera que tenía los pies enrojecidos por el frío y pasando por allí un cura le preguntó admirado de qué venía tal color. Porque tengo el fuego debajo. Entonces el cura metió mano a aquel miembro que lo hacía ser más cura que monja y, acercándose a ella con voz dulce y sumisa, le pidió por cortesía que le encendiese aquel cirio. O el de dos caminando de noche por dudosa vía; el de delante hizo gran estrépito por el culo y dice el otro: Ya veo que me amas. ¿Por qué? Me das la pista para que no me pierda.

Supongo que te cuento estas bromas porque me resisto a entrar en el tema —que me vino a la memoria hablando del tío Francesco— de las herencias. Mi padre no me dejó nada, mi tío me nombró heredero único de sus bienes; mis hermanastros pusieron pleito para quedarse también con esto. Yo no me llevaba especialmente bien con mis hermanos. Creía que, a estas alturas de la vida y con la fama adquirida como artista en Milán y con el rey de Francia, mis hermanos debían tratarme no sólo con respeto sino con deferencia; me trataron como si no fuera de la familia. Si yo llevaba su nombre, si mi padre había querido reconocerme y me había ayudado de joven, ellos no tenían por qué ser menos. Su desconsideración, más que el valor de la herencia en sí —eran campos—, me impulsó a entrar en el pleito con todas las armas. Conseguí que el mismo rey de Francia escribiera a la Signoria urgiéndoles rápidez en la resolución del pleito para que yo pudiese volver cuanto antes a Milán. Hice que mi amigo el cardenal Hipólito de Este escribiese a uno de los magistrados encareciéndole mi caso. Los florentinos son capaces de dar largas a un rey, incluido el de Francia, y, además, nada hay que pueda agradarles más, sobre todo si los subterfugios que aducen resultan increíbles para la otra parte, pero está obligada a aceptarlos. Gané por fin el pleito y mis hermanastros se quedaron sin las fincas del tío Francesco en Vinci; lo que no saben es que se las dejaré en herencia cuando yo muera. No son los campos el motivo del pleito sino mi consideración en la familia.

Los errores del inteligente suelen ser errores que el tonto no cometería nunca. Por ejemplo, mi actitud ante la evidente mala intención de Salai, al que no eché cuando debía. ¿Por qué? Verás, de cuando en cuando me complacía y vale más una noche con quien nos atrae inexplicablemente que siete con el que conozco todas las razones de por qué me atrae. Salai me tuvo siempre que él quiso; yo no era capaz de negarme. Tú dices que no sé resistirme a un rizo de pelo que parece un torbellino de agua, no sé, hay algo entre las personas, una afinidad inexplicable que atrae uno hacia otro —casi nunca recíprocamente—, algo fatídico, irresistible, y como no se sabe por qué sucede no hay modo de evitarlo. Por un momento creí haber encontrado el antídoto a Salai en el joven aprendiz que venía de Urbino y Siena con ojos de Madona, rizos oscuros y aspecto aniñado, pero me equivocaba. Él sabía exactamente lo que buscaba y supo estar a mi lado lo justo para aprender las técnicas que yo jamás he negado a nadie que se me haya acercado con cortesía. Es parte de mi religión artística comunicar libremente todo lo que sé. ¿Qué mal puede haber en que otros aprendan? Sólo los mediocres están pendientes de que los jóvenes no suban; el que está seguro de sí mismo enseña sinceramente a todos porque sabe que lo que él hace sólo puede hacerlo él. Por eso enseño con liberalidad y no estoy pendiente de quién pueda hacerme sombra. A mí me enseñó Verrocchio y a él Pollaiuolo, y así hasta remontar a Giotto, por no decir a Cimabue. Es una obligación moral de maestro en arte comunicar sus conocimientos a los principiantes que llaman a su puerta. Rafael Sanzio, en cortés aprendiz —los buenos modales son la moral del esteta—, me pidió consejo y yo se lo di desinteresadamente; bueno, no del todo, pero él no respondió a mis avances y yo no suelto pájaros de sus jaulas para luego acosar a quien me atrae. Por otro lado, yo no estaba en el mejor estado de ánimo para atraer a un joven de sensualidad angélica como Rafael; mi catarsis no se había completado; en mi ánimo resonaban aún las alarmas de lucha y furia, imágenes y ruidos de la campaña con Borgia, el negro dragón del sadismo aún desplegaba sus anillos en mi alma y, a pesar de que lo conjuraba dibujando espirales, diluvios y desastres, de que lo reflejaba en las luchas de mi cartón para la Signoria, estaba contaminado aún: la guerra había irritado mi cerebro volviéndome aún más sensual, con la sensualidad del odio, que es muy parecida a la del deseo. Había incluso comenzado a pintar el retrato de mi madre no con la comprensión del amor sino de mi secreta crueldad.

En 1505, cuando Rafael llegó a Florencia, yo tenía cincuenta y tres años; él, veintidós. Era modesto y aniñado, más doncel que escudero, hermoso y sensible; le abrí mis cuadernos de bocetos, él copiaba y copiaba, asiduamente. Ha sido luego un excelente pintor, excepto cuando intenta imitarme; sabe emplear mi composición piramidal, las actitudes, el contraposto. Supera a Perugino fácilmente y asimila la potencia de Miguel Ángel, pero conmigo se queda corto: le falta ironía y misterio. Debo agradecerle que me haya retratado como Aristóteles, ¿o era Platón?, en la Escuela de Atenas de su fresco perfecto del Vaticano; a mi querido Ficino le hubiese dolido verme como Aristóteles en vez de su amado Platón, aunque justo es decir que cuando Rafael me conoció yo tenía más de Aristóteles que de Platón. El mundo suprasensorial de las ideas es una hermosa hipótesis que yo no necesito; es más, como todo lo que no se ve, puede resultar nocivo al progreso del conocimiento.

Aunque el ingenio humano en sus diversas invenciones con variados instrumentos puede lograr un propósito, nunca dará con una invención más hermosa, más simple o directa que la naturaleza, porque en sus invenciones nada falta ni nada hay superfluo. ¡Oh especuladores del movimiento perfecto, cuántos varios diseños habéis creado en tal búsqueda! Idos con los buscadores de oro; esos burdos intérpretes de la natura afirman que el mercurio es la semilla común a todos los metales, no se dan cuenta de que la naturaleza varía las semillas según la diversidad de cosas que quiere producir en el mundo. Muchos hacen negocio con engaños y falsos milagros aprovechando la estulticia de la multitud: ¡fariseos! (quiero decir santos frailes). De todas las opiniones humanas ha de reputarse la más estúpida, aquella que tiene que ver con la creencia en la necromancia, hermana de la alquimia, comadrona de elementos simples. Pero es mucho más reprensible que ella porque no pare nada más que lo que se le parece: mentiras. Esto no pasa con la alquimia, que trabaja los simples producto de la naturaleza cuando ésta no puede hacerlo porque no tiene instrumentos orgánicos con que trabajar, como puede el hombre con sus manos, que produce, por ejemplo, vidrio. Pero esa nigromancia, estandarte, bandera ondeando al viento, guía de la estulta multitud, la cual continuamente testimonia con la boca abierta de los infinitos efectos de tal arte; y hay libros llenos afirmando que los encantamientos y espíritus operan y hablan sin lengua, sin instrumentos orgánicos —sin los cuales es imposible hablar—, hablan, y llevan pesos gravísimos, hacen tronar y llover, convierten a los hombres en gatos, lobos y otras bestias, si bien ya son bestias quienes afirman tal cosa.

Ciertamente, si existiera tal nigromancia, tal como creen los de escasas luces, nada habría sobre la Tierra que valiese tanto al daño y servicio del hombre si fuese cierto que en tal arte se tiene la potencia de turbar la tranquila serenidad de los aires, convirtiendo aquélla en nocturna tiniebla y provocar centellas y vientos con espantosos truenos y relámpagos rasgando las tinieblas, y con impetuosos vientos arruinar altos edificios y arrancar bosques, dispersar ejércitos, rompiéndolos y aterrándolos; o desencadenar la tempestad dañina que priva a los agricultores del premio de sus fatigas. Porque ¿qué clase de guerra es capaz de herir tanto al enemigo como privarlo de sus cosechas? ¿Qué batalla marítima puede compararse a la que ordena a los vientos tempestades que sumergen cualquier armada? Ciertamente, aquel que mande tan impetuosas potencias será señor de los pueblos y ningún ingenio humano podrá resistir a sus fuerzas dañinas; los tesoros ocultos, gemas reposando en el cuerpo de la tierra, serán manifiestos para él; ningún cerrojo o fortaleza será inexpugnable para salvar de la voluntad del nigromante; éste se hará transportar por los aires de Oriente a Occidente y por todos los confines del universo. ¿Para qué alargarme más? ¿Qué no podría lograr tal artífice? Todo, excepto librarse de la muerte. He explicado el daño y utilidad contenidos en esa arte, si es real, y si lo es, ¿por qué no ha quedado entre los hombres que lo desean tanto y no temen deidad alguna? Me consta que hay muchísimos que, por satisfacer un apetito suyo, destruirían a Dios con todo el universo. Y si esta necromancia, siendo, como es, tan útil al hombre, no ha quedado entre ellos, es porque nunca existió, ni existirá, por la definición de espíritu, que es invisible e incorpóreo; y dentro de los elementos no hay cosas incorpóreas porque donde no hay cuerpo hay vacío, y el vacío no se da dentro de los elementos porque rápidamente sería colmado.

Me repugna la creencia en nigromantes como me disgustan otras creencias aún más extendidas, pero yo no discuto nunca: te he explicado por qué, y no hablaré más de ello. La alquimia, en cambio, es otra cosa: busca colaborar con la naturaleza acelerando procesos que a ella le llevarían siglos y que con ayuda del hombre —y la mujer, imprescindible— en el laboratorio maduran en meses. Tu padre era amigo de un alquimista, Galeotto Sacrobosco. Le has tenido que ver de pequeño por tu casa en Vaprio: era un buen hombre y yo le respeté siempre porque conocía su desgracia: se había dejado la fortuna y, lo que es peor, la vida en busca de la piedra filosofal; había llegado a viejo arruinado, sin familia, derrotado. Pero incluso él, que creía sinceramente en la alquimia, tenía que componer con los poderosos y recurrir a argucias, como yo le vi perpetrar delante de Ludovico el Moro.

Sacrobosco había estudiado medicina en Bolonia, de modo que no era un vulgar soplador como tantos que pasan por alquimistas; cuando acabó se fue de aprendiz con el conde Bernardo Trevisano, adepto en ciencias ocultas. Se dedicó a analizar las transformaciones del mercurio en toda clase de medios: sal y amoníaco, bismuto y arsénico, metales, sangre, bilis y cabellos; así dilapidó quince años y seis mil ducados, todo su patrimonio.

Los acreedores le metieron en prisión, huyó, se dedicó a experimentar con huevos: destruyó unos veinte mil. Era concienzudo y tozudo. Luego trabajó con el protonotario del papa en la fabricación del vitriolo, con cuyas emanaciones se envenenó, luchando catorce meses entre la vida y la muerte. Viajó luego por España, tras los pasos de Nicolás Flamel, por ver si él también tenía la ventura de hallar un judío en León que le iniciara, pero no tuvo esa suerte. Pasó a Francia, Austria, Holanda, Túnez, Grecia, Armenia y Persia. El rey de Hungría lo sometió a tortura para que revelase su secreto: ¿cómo podía delatar lo que no sabía? La regla de oro del alquimista se centra en cuatro preceptos: querer, osar, poder y callar. Por no callar más de uno ha sucumbido a la codicia de los que desean arrancarle su elixir para fabricar oro. Viejo, fatigado, pero no desilusionado, volvió por fin a Italia, donde Ludovico el Moro le acogió como alquimista de la corte.

Por la naturaleza de su trabajo y la inquina del astrólogo Ambrogio, que no quería rivales en el castillo, Sacrobosco se instaló en casa de la comadrona Sidonia, que cuidaba de su sobrina. Era una casa destartalada con gran chimenea; estaba cerca de la puerta Varcellina, no lejos de las esclusas del canal de Cantarana. En el piso de arriba, el alquimista había construido su horno bicorne, cuyo hogar ardía día y noche. Allí le visité una noche, al salir de una cena fastuosa, acompañando a Ludovico y su corte, que fueron a presenciar una transmutación. Para que no cupiesen dudas sobre la autenticidad del ensayo mostró el crisol, pidiendo a los asistentes que lo examinasen para ver que no había doble fondo u otro tipo de fraude. Luego enseñó las piezas de estaño, los carbones, el fuelle, las barras usadas para remover el metal en fusión. Cortó el estaño a pedazos y lo echó en el crisol, que colocó en el horno sobre los carbones encendidos. Su ayudante, mudo y tuerto, como está mandado, comenzó a atizar la brasa con un gran fuelle. Mientras, Galeotto, hombre de mundo, distraía a los cortesanos con su charla, llamando a la alquimia *casta meretrix* porque tiene un número incalculable de amantes, los engaña a todos, parece accesible a cualquiera pero hasta el presente no ha sido poseída por nadie. El médico Marliano le señaló que el estaño se fundía, Galeotto sacó una bolsa que deslió con precaución: contenía un polvo amarillo claro, graso y brillante como el polvo de vidrio, que olía a sal quemada. Era la piedra filosofal. Con la punta de un cuchillo separó una pizca y la envolvió en una bola de cera, que arrojó al estaño candente.

El estaño se agitaba, espumaba, chapoteaba, el ayudante removía la masa hirviente con barras de hierro. Diez minutos después, el alquimista le ordenó retirar el crisol del fuego. Lo dejaron enfriar y lo rompieron: brillante y sonoro cayó al suelo un lingote de oro. Ante la piedra de toque impregnada de ácido, el lingote marcó una raya amarilla de oro más puro que el de Hungría. Todo el mundo rodeó al viejo encomiándole y abrazándole. Ludovico lo llevó a un aparte. Luego todos se aprestaron a partir y Sacrobosco les dio un trozo de oro como recuerdo. Yo me quedé.

El oro estaba en las barras con que removíais el estaño, le espeté en cuanto nadie pudo oírnos: el oro escondido en el interior de las barras cayó en el crisol cuando las puntas se fundieron por el calor; no diré nada, no temáis, pero ¿por qué os rebajáis a esta farsa? Sus ojos brillaron con esperanza demente: ¡Estoy a punto de conseguirlo! Necesito ganar tiempo, por el bien de la ciencia. Luego, en confianza, me instó a sincerarme y a confesar que yo mismo era alquimista y sabía que la piedra filosofal no era una quimera: al-Kindi, Lulio, Vilanova, Flamel atestiguan su realidad, pero sólo para los que siguen y sufren el arduo camino. Luego me habló de los espíritus de los elementos y su forma: la salamandra de cuerpo alargado, moteado fino y duro; la sílfide azul, transparente y etérea; las ninfas, ondinas, gnomos, los habitantes de las piedras preciosas... Me quedé escuchándole un largo rato y nos separamos amistosamente. ¿Qué hubieras hecho tú en mi lugar?

Dime si alguna vez se consiguió algo... dime si jamás hice algo que... dime si jamás... Cuando tú llegaste, Francesco, ocurrió la última pelea con Salai. Con su instinto tan femenino, Salai se dio cuenta no de lo que eras para mí entonces, sino de lo que llegarías a ser, y decidió alejarte poniéndome en el inquietante filo de los celos.

Mientras que en San Onofrio, el hospital de los tintoreros, Miguel Ángel trabajaba en su dibujo para el fresco del palacio, yo completaba el mío en Santa Maria Novella. Una vez terminado, me dispuse a trasponerlo en el muro de la Gran Sala del Consejo: el fresco debía hacer veinte metros de largo por ocho de alto. Construí un andamio móvil provisto de un puente levadizo que salía como un brazo desde el cual yo podía situarme frente a cualquier porción de la inmensa pared. Para una obra de tales proporciones y dado que la Signoria pagaba religiosamente —por la cuenta que le traía—, amplié el número de mis ayudantes. Entonces entró en mi casa el español; mejor dicho, los españoles, de la mano de Salai.

Un día, Salai compareció en el taller acompañado de un joven alto, bien proporcionado, de abundantes rizos color azabache y ojos negros de intensa vitalidad. Nunca he podido resistir la belleza unida a una cabellera de rizos caracoleantes, de modo que dejé mi trabajo y bajé a conversar con él a petición de Salai. Por lo que me contó —luego supe que mezclaba la realidad con la mentira con tal convicción que él mismo las confundía—, Fernando de Llanos era del centro de la península, de esa región donde Castilla se convierte en Andalucía y cuya ciudad es Toledo; quiso ser canónigo, o al menos racionero, para tener prebendas y dedicarse a la escritura. Fue a Alcalá con propósito de estudiar en la universidad; allí se dedicó a todo lo que pudo menos aprender las bellas letras, pero entre las diversas cosas que probó descubrió que el dibujo no se le daba mal, por lo cual decidió dedicarse al aprendizaje de la pintura, para lo cual concibió trasladarse a Italia, donde, le dijeron, esta arte estaba en su máximo esplendor. Así que se dirigió al puerto de Valencia con intención de embarcarse para Italia; allí, merodeando por las tabernas del puerto, se alió con otro joven, manchego como él, Fernando Yáñez de la Almedina, ambos dieron con un grupo de servidores y el secretario del duque de Valentinois, que embarcaban hacia Livorno para unirse a Ramiro de Lorca, que a la sazón gobernaba la Romaña. Tras la caída de César Borgia habían recalado —como nosotros— en Florencia.

Yo le admití a instancias de Salai y le puse a trabajar en la preparación de la pared de la sala de la Signoria. Primero iba a comprar la escayola, el aceite de lino, la pez griega, el blanco de Alejandría y las esponjas venecianas para que Zoroastro mezclase la preparación que poníamos en la pared para que yo pintase encima. Como nunca me gustó pintar al fresco porque exige rapidez y detesto apresurarme —aunque podía pintar tan aprisa como el que más—, había adoptado una base que me permitía pintar con aceite de nuez; había que secar aquel emplaste tal como lo recomienda Plinio en su libro de la pintura y, aunque en las pruebas en el taller resultó bien, al encender fuegos en el salón de la Signoria para secar el empaste de la pared, la altura desmesurada de la sala hizo que las partes altas no secasen bastante y que los colores no se fijaran. Meses de pruebas no llegaron a nada y sólo pude pintar la parte que representaba la batalla por el estandarte, lo cual, por cierto, es más de lo que realizó Miguel Ángel, que ni siquiera dio una pincelada sobre la pared que le asignaron. Dejar otra obra inacabada no me dolió tanto como la situación a que me llevó Salai con su talento para la maquinación dañina. Tenía conmigo como ayudantes a Riccio della Porta, al alemán Johannes, a Lorenzo y a Zoroastro, que ya no era aprendiz sino alguien como de casa que me había seguido a todas partes desde que salí por primera vez de Florencia. Vivíamos, como te dije, en casa del mecenas Piero di Braccio Martelli, aficionado a las matemáticas y que albergaba también a Giovan Francesco Rustici. Antes de llegar tú, Salai ya estaba inquieto por mi afecto hacia Rustici, que era un hombre fascinante, al menos para mí: estaba en la treintena, había sido discípulo de Verrocchio —yo no coincidí con él porque le llevaba veinte años— y era un artista imaginativo, original y divertido. Su taller parecía el Arca de Noé: tenía una águila, un cuervo que hablaba como un hombre, serpientes, un puerco espín amaestrado como perro faldero y que se metía debajo de la mesa entre las piernas de los invitados. Ya te he contado la suerte de banquetes que les gustaba dar a los de la Cofradía del Caldero. Estas diversiones, o mejor dicho, el hecho de que nos divirtiésemos, le sentaba mal a Salai, que siempre quería ser el centro de atención, que mis placeres pasaran por él y como él quisiera. En su soberbia era incapaz de pensar una broma, un detalle, un gesto que me complaciese; era de esas personas que, sabiéndose bellas, creen que todo les es debido y que su sola presencia ya otorga placer sin necesidad de ejercer ningún otro esfuerzo por su parte. A mí me encantan las gentes que, además de bellas, son bien dispuestas, imaginativas, divertidas, y que se esfuerzan para que los demás disfruten. Tal era Rustici, contraste abismal con Salai.

La animosidad de Salai arreció cuando apareciste tú. Pero, como de costumbre, no me atacó de frente sino tendiéndome una tentación en la que, si yo caía, me tendría otra vez a su merced. La tentación no era otra que Fernando de Llanos, una belleza comparable a la de Salai, pero a la española, lo cual quiere decir dura, nerviosa, fogosa, hirsuta y absoluta. Tenía el señorío de los que no temen perderlo todo, sabiendo que ya hallarán medio de rehacerse; ese desapego le daba una seguridad en todas circunstancias que aumentaba su atractivo; si a eso le añades sus encantadoras mentiras, resultaba un carácter abrumadoramente seductor. Salai lo hizo entrar en casa dando por hecho que si era aprendiz mío debía morar con nosotros; naturalmente, una vez en la casa, entró también en la cama de Salai, que lo metió en la mía.

Espero que no tengas ocasión de descubrir que los amores duraderos buscan tortuosos caminos para avivar las brasas extintas, así las parejas osadas introducen un tercero para deshacer la rutina de la relación. Pero una cosa es la fiesta en que Venus o Narciso se apoderan de todos y los cuerpos ruedan por el suelo en amoroso duelo de todos contra todos, y otra, más sibilina, establecer un trío en casa, porque siempre quedará uno desparejado: entre dos jóvenes y un viejo, el resultado final es previsible. Yo no quise preverlo. Estaba en la cincuentena, creo que entonces tenía cincuenta y cinco años exactamente, y ése es un momento vital desconcertante, porque empiezas a contar. A lo largo de la vida se actúa sin pensar en los años: de niño pasan muy despacio, de joven sin hacerse notar, en la madurez aprisa. Esto se debe a que la longitud del tiempo es inversamente proporcional a los años que has vivido: cuando tienes diez años un año es la décima parte de tu vida, cuando tienes cincuenta es un cincuentavo, o sea, mucho menos, y por eso se hace más corto. Pero llega un momento, y ése es el inicio de la vejez, en que empiezas a contar al revés: los que quedan por vivir. En ese momento me sorprendió la nueva maniobra de Salai, la debilidad de enfrentarme por primera vez a mi vejez influyó en mi irresponsable comportamiento. No tengo miedo a la muerte, que entiendo como un sueño del que tarde o temprano, en uno u otro lugar, despertaremos, y si no despertamos no habrá nadie, ni uno mismo, para lamentarlo. En esto coincido con Epicuro; tampoco lamento la brevedad de la vida porque creo —y lo he demostrado— que hay tiempo para todo lo que se desea emprender, a condición de ser perseverante y que el azar no nos perjudique especialmente, cosa que sucede con alguna de las empresas que nos proponemos. ¿Quién desearía ser inmortal? Este sueño de los alquimistas es más absurdo que vano. ¿Te imaginas continuar en el mundo a los trescientos años, aunque se tenga un físico de cuarenta como ellos pretenden? Hay que morirse cuando se ha vivido bastante, lo cual suele coincidir con la sexta o séptima década. Pero me estoy desviando de mi narración. Fernando me atraía y Salai todavía, de modo que me dejé llevar sin pensar en las consecuencias. Cuando ya había sucumbido, una vez más, a la voluntad de Salai, encandilándome del joven Fernando, apareció su álter ego: Yáñez de la Almedina.

Este otro Fernando se había introducido en el taller de Miguel Ángel para ser escultor —aunque ahora creo que la astuta pareja de españoles se habían repartido para conocer a los dos grandes maestros de Florencia—, y de eso hablamos durante los primeros encuentros, cuando él comenzó a frecuentar mi casa con Salai y Fernando. Miguel Ángel le había dicho que no tiene el óptimo artista concepto alguno que no se halle encerrado en un mármol, el cual destapará la mano guiada por el intelecto. Hermosa manera de definir la escultura; que a mí no me convence, lo malo es que en el proceso de desbrozar el mármol para llegar al concepto uno se pone perdido. Como he practicado la escultura, aunque no tanto como la pintura, estoy igualmente versado en una que en otra, y me parece que puedo dar una opinión imparcial sobre cuál tiene mayor ingenio, dificultad y perfección. Entre la pintura y la escultura no encuentro otra diferencia que el escultor conduce sus obras con mayor fatiga del cuerpo que el pintor, y éste las suyas con mayor fatiga de la mente; esto se comprueba en que el escultor realiza su obra a fuerza de brazos y por percusión para desbastar el mármol u otra piedra que encierra la figura, que saldrá de ella; así labra el escultor con esfuerzo físico, acompañado de gran sudor, que al mezclarse con el polvo se convierte en fango; la cara empastada, enharinado de polvo de mármol, que parece un panadero, y cubierto de pequeñas escamas, que parece le haya nevado encima; y la habitación sucia, llena de polvo y esquirlas de piedra. Todo lo contrario sucede al pintor, hablando de pintores y escultores excelentes, porque el pintor con gran comodidad se sienta delante de sus obras bien vestido y mueve el levísimo pincel de colores deliciosos, adornado con la vestimenta que le place, y su habitación está llena de agradables pinturas y pulida, y se acompaña a menudo de música o lectores de varias y bellas obras, las cuales puede escuchar con gran placer sin mezclar estrépito de martillos u otros ruidos.

El esfuerzo del escultor es físico más que mental, pues sólo debe cuidar de no extraer más de la cuenta y debe para ello usar continuamente medidas sin fiar de su ojo. El pintor ha de contar con diez elementos para conducir a buen fin sus obras: luz, tiniebla, color, cuerpo, figura, posición, lejanía, propincuidad, movimiento y quietud. El escultor sólo ha de considerar: cuerpo, figura, posición, movimiento y quietud. De las luces o tinieblas no se preocupa porque la naturaleza se las pone; del color nada; de lejanía o propincuidad se ocupa medianamente, o sea, no aplica más que la perspectiva lineal y no la de color, que varía en tono y resolución de perfil y figura según la distancia del ojo. Por eso, la escultura tiene en cuenta menos elementos y en consecuencia requiere menor esfuerzo intelectual.

Así debatíamos en el principio de una relación que yo creía de aprendiz a maestro, pero que se complicó con las relaciones que Salai imponía, lo cual la hacía tensa para mí; con su genio habitual para desconcertarme, consiguió llevar las cosas de tal manera entre los cuatro que yo no supiera encontrar mi sitio, perdiera los papeles y, si posible, la compostura. Fuera de noches excepcionales de fiesta en que yo, como todo el mundo, me puedo entregar al placer si se tercia, mi necesidad de diversión es mínima, pues sé ocuparme solo, beber en una taberna con desconocidos o conversar relajadamente con mis amigos. Mis necesidades eróticas habían menguado con la edad y prefería satisfacerlas discretamente en casa. Estaba en un punto de inflexión de mi vida en que deseaba serenidad y comodidad. La relación primero a tres y luego a cuatro que me imponía Salai chocaba frontalmente con lo que necesitaba. Sin embargo sucumbí. Así como soy capaz de movilizar una energía poderosa para investigar un tema que me intriga, parezco un abúlico en las cuestiones donde se mezclan sentimientos.

Aquí se mezcló además el dinero de un modo inesperado. Los españoles me acabaron confesando que necesitaban mi ayuda para recuperar el tesoro que César Borgia —a la sazón prisionero en España— había ocultado en la Romaña. Había usado el procedimiento casi infalible de secar el curso de un río, enterrarlo en el cauce y dejar fluir el agua otra vez. El secretario de Borgia, que los había ayudado a pasar a Italia, les pidió que se acercaran a mí para que, en mi calidad de ingeniero hidráulico y deudo de César, realizase la operación de rescate del tesoro. Salai insistía de tal modo en ello que no pude negarme. Se me ocurrió consultar con Maquiavelo y le encontré sorprendentemente entusiasta hacia el proyecto, diciendo que César necesitaba dinero para recuperar su poder y él para ganar el tiempo de escribir, que había sido postergado de sus cargos públicos y deseaba entregarse de lleno a reseñar lo que la experiencia le había enseñado. ¿Acaso Salai le había prometido parte en el botín? Estaba yo a punto de aquiescer en la turbia —nunca mejor dicho— aventura cuando tú llegaste.

Puntualmente, porque yo te rechacé la primera vez diciendo que cuando cumplieras catorce años te acogería como aprendiz: no sé si llegaste el día de tu cumpleaños, supongo que fue un día decisivo en tu vida, lo que sí sé es que, en cuanto te vi convertido en un adolescente ávido de aprender —aún más, de ayudarme—, supe que mi vida podía cambiar hacia el sosiego que tanto anhelaba. Cuando Salai lo notó también, ocurrió el episodio que sacudió mi desidia. Una noche estábamos cenando alegremente en casa con amigos cuando Salai empezó a referirse en términos entusiastas a lo que ganaríamos cuando desenterrásemos el tesoro de Borgia; incluso Maquiavelo le reía las gracias. Yo comencé a reprobarles que vendieran la piel del oso antes de cazarlo y, sobre todo, de un oso que no les pertenecía. César me había tratado en familiar suyo y yo no pensaba aprovechar su actual debilidad para despojarle todavía más. Salai me apostrofó en términos inadmisibles; le respondí sin alzar la voz, recordándole los favores de César, su trato impecable con nosotros y que al despedirnos me había regalado un manto de brocado y pedrería que —por cierto— yo le había entregado a él, Salai. Se levantó airado y volvió con el manto, que arrojó a Fernando de Llanos: Aquí tienes el tesoro de Borgia, le gritó con sarcasmo. Los amigos empezaron a desfilar en silencio. Cuando todos habían partido y subíamos a acostarnos, Salai dejó pasar a Francisco y a Yáñez y se interpuso frente a mí, rechazándome con el brazo. Tuve que dormir en el taller; mejor dicho, no dormía, estaba escribiendo una nota de capitulación: nunca más la guerra, me rindo. Entonces, tú te acercaste a mí, acariciaste los cabellos de mis sienes y me besaste en la frente. El bienestar que me penetró en aquel momento fue como una súbita revelación; seguí despierto pero en una vida nueva. Una riada de ideas me inundó el cerebro: pensé poner en práctica mi proyecto de viajar a Armenia, donde el sultán me había invitado; comencé a estudiar la geografía de aquellos países y sus costumbres, hasta que al cabo de pocos días llegó la noticia de que Juan de Médicis, el hijo de Lorenzo el Magnífico, había sido elegido papa. Lleno de ilusión por la vitalidad que tú me habías aportado, confiado en la amistad del Médicis ahora papa, y deseoso de consagrarme definitivamente como artista en la Ciudad Eterna, resolví trasladarme a Roma. Contigo, Giovanni, Salai, Lorenzo y Fanfoia. Los españoles se quedarían. Salai tuvo que elegir y se rindió. Gracias a ti, yo volvía a ser dueño de mi casa.

ROMA

He servido a Lorenzo, Ludovico, César, Soderini, Francisco I; esta variación de patronos, que significó poco para mí y menos para ellos, cuyas alianzas eran tan volubles, empezó a desazonarme: yo había envejecido mientras el poder de Italia parecía concentrarse en Roma, que nunca me atrajo. Lorenzo de Médicis tuvo tres hijos: uno tonto, otro astuto y otro bueno; el tonto, que se hizo echar de Florencia por ceder atolondradamente sus plazas fuertes a los franceses, era Piero; el astuto, que llegó a papa con el nombre de León X, era Giovanni; el bueno era Giuliano, que fue mi mecenas en Roma. Su hermano le había promovido a gonfaloniero de la Iglesia y le quería mucho. Yo vi la oportunidad de una protección poderosa y duradera porque los hermanos Médicis eran jóvenes y ejercían el poder romano. Juliano de Médicis le ordenó a su arquitecto Mela, un ayudante de Bramante, que me habilitara estancias y talleres en el Belvedere del Vaticano; allí instalé mi casa, mis obradores y mis aprendices.

Me dediqué a conocer a fondo la ciudad; mi cuerpo se había limpiado de los lóbregos humores acumulados, el cambio de vida y de casa me había refrescado, infundiéndome nuevo vigor y curiosidad renovada. Roma me devolvió mi interés con creces. Ninguna otra ciudad italiana presentaba tan chocante contigüidad de esplendor y mugre, arquitectura en construcción y en destrucción, tal conjunto de edificios devorándose unos a otros, consumiéndose a sí mismos. Dentro de la cintura de murallas dilapidadas sólo una parte estaba construida. La colina del Capitolio era monte Caprino porque cada primavera las cabras pastaban allí entre muñones de mármol, frisos y capiteles; los mausoleos eran carcasas despojadas de su mármol, en torno a la Columna Trajana se arrebujaban míseras covachuelas; el Foro, las Termas, los anfiteatros eran escuálidas colmenas de viviendas y comercios. El Coliseo y el teatro de Marcelo servían de canteras para los constructores del papa, cardenales y banqueros. Iglesias semejantes a templos griegos emergían sobre basílicas romanas que a su vez fueron edificadas aprovechando las irisadas columnas y entabladuras de templos antiguos. La Roma de Augusto desaparecía en aquella febril reconstrucción, Sangallo, Peruzzi, Bramante o Miguel Ángel consentían, por la cuenta que les traía, aquella inútil e irreversible destrucción. Los arquitectos querían crear su nueva Roma y tomaban los materiales que hallaban más a mano, sin reparar en lo que destruían. Brunelleschi, que tenía más sensibilidad que todos los que he nombrado juntos, se embebió del esplendor que fuera Roma, estudió a fondo los edificios antiguos —que en su juventud aún persistían— y creó un estilo propio, no copiando el romano, sino empapándose de sus espacios, formas y proporciones y componiéndolos de un modo personal, con el éxito y belleza que puedes ver en la capilla Pazzi o la sacristía de San Lorenzo.

Aquel día de torneo en mi juventud, cuando logré reunirme con Fioravante, le llevé a la capilla Pazzi y allí disfruté sus caricias en el espacio claro, limpio, elegantísimo concebido por Brunelleschi, blanco y gris; blanco para señalar las superficies rectoras, gris para alabear cornisas y marcos, las cerámicas de Della Robbia por toda decoración y el volumen serenísimo en su simetría central. Nada de esto lo hicieron así los griegos y, sin embargo, todo ello respiraba la sensibilidad griega, evocaba su mundo sin copiarlo, sólo como fuente de referencia. Llevo esta capilla grabada en las entretelas de mi corazón, me gustaría ser enterrado en ella, Francesco, si puedes disponer de medios para transportar mi cadáver, pues sé que no saldré de Amboise con vida.

Mi amigo Bramante estaba en Roma, le veía a menudo porque se ocupaba de trazar nuevos jardines para el Belvedere y no tenía reparos en consultarme sobre la nueva iglesia de San Pedro que estaba diseñando, quería una cúpula que superase la de Brunelleschi en Florencia y yo le ayudaba en su concepción. Siempre he preferido las iglesias con simetría central, cuya planta es la cuadratura del círculo —símbolo de trascendencia, pues el cuadrado tierra se eleva hacia el círculo espíritu de la cúpula—, y por ello he estudiado las formas de cerramiento con cúpulas. Precisamente en Roma conocí el ejemplo perfecto, insuperable, mejor incluso que la solución de

Brunelleschi: el Panteón del emperador Adriano. En él, la cúpula es el edificio, genera todo el espacio y le da salida por el lucernario, que es un simple círculo sin templete superpuesto. La elegancia, simplicidad grandiosa del Panteón supera cuanto he visto en arquitectura: es el espacio que yo hubiese deseado construir. No sé cómo acabará Bramante la basílica. Cuando marché tenía dificultades con el papa, avivadas por los celos del atormentado Miguel Ángel; por cierto, que debo señalar en su favor que, cuando los trabajadores desenterraron el grupo de *Laoconte* en una viña junto a los Baños de Tito, Miguel Ángel se negó a restaurarla, declarándola perfecta y confesando, estupefacto, que aquella obra de arte había alcanzado el límite hacia el cual él tan laboriosamente tendía.

Hablando de tender a la perfección, mi maestro Verrocchio, que había estado en Roma de joven, me había alabado sobremanera la estatua ecuestre de Constantino que está en San Juan de Letrán, y que le animó a emprender, al final de su vida, el *Colleoni.* He visto la estatua romana y estoy maravillado aún de su perfección. El arte ha llegado varias veces a su cenit, porque no puede mejorarse aquel caballo, sobre todo la cabeza, que rebosa vida. El mío hubiese sido mayor, aunque éste tiene tres metros y resulta colosal. La figura del emperador es también perfecta; su mano extendida, su cara reflejando el carácter parece que se mueve hacia adelante para hablar a las tropas o a los ciudadanos. Sus aéreas palabras las dispersó el tiempo pero su figura majestuosa la guardó el bronce inmortal para que veamos que no hemos inventado casi nada. Después de este caballo, el arte cayó en la miseria, y no se levantó hasta Ghiberti, Donatello y Verrocchio.

¿Qué pasará después de Miguel Ángel? He visto su *Pietà* y creo que, considerando también el *David*, puedo afirmar que mi prodigioso enemigo ha alcanzado la perfección, un límite del que el arte, como lo entendemos ahora, no puede ir más allá. Para progresar y superar a Miguel Ángel, la escultura debería romper las reglas clásicas, los cánones griegos, y buscar un estilo totalmente nuevo. ¿Valdría la pena? Quizás la complejidad del hombre que está por venir necesite para su representación un estilo ahora desconocido. Después de todo, el arte, como la vida, no se detiene: los milenios de escultura egipcia fueron abolidos por los griegos: alguien nos depasará a nosotros.

En torno al Vaticano se mezclaban palacios cardenalicios con sórdidas casas populares y las torres de las familias feudales romanas. Los nuevos palacios seguían los cánones de Vitruvio que mi maestro Leon Battista Alberti había resucitado, pero faltos de gracia y ligereza: eran para mi gusto demasiado pesados y aparatosos, fuera de escala, nada que ver con la austeridad de Alberti o la armonía infalible de Brunelleschi. Eran el producto de una segunda generación, la de imitadores, la que pierde el frescor inicial porque no ha sabido preservar la sensibilidad de los primeros. ¿Cómo transmitir la sensibilidad? Los tratados, como el de Alberti o el mío sobre pintura, pueden comunicar normas y recetas, lo que no lograrán traspasar al futuro es la sensibilidad de Alberti o la mía, y todo estriba en mantener viva la llama de una especial sensibilidad. Yo os la he querido pasar a vosotros; creo que tú la tienes, Francesco; quizás Boltrafio y espero que Salai, pero después ¿quién la recibirá y cómo? Nada más sutil que un talante, inmaterial, fijado sólo sobre los nervios y los sentidos de unos pocos cuerpos, ¿cómo sobrevivirá al paso de las generaciones?, plasmarla en alguna imagen ya que la escritura no basta, y en ello estoy trabajando; mi cuadro del Precursor ha de llevar impresa mi visión, ese estado al que yo he llegado, que vivo en mi interior, que no sé poner en palabras, que intuyo como la finalidad por la cual estamos en este mundo, el misterio último: que el Cristo y el Anticristo son uno, el cielo arriba, el cielo abajo, el infierno abajo, el infierno arriba, Dios es el diablo, el diablo es Dios, todo lo que existe es Uno y, si no, no existe. Cuando se ha experimentado en la carne todo esto se sabe; el que lo ha probado lo sabe. Secreto, porque muy pocos lo conocen, no porque yo desee mantenerlo oculto; al contrario, yo deseo proclamarlo, pero ¿con qué? ¿Crees que mi pintura lo expresará? Quiero que quede como un aviso, un faro, una señal de adónde vamos, hacia algo más cercano al ángel que al hombre.

Roma fue un bálsamo para mis nervios. León X había transportado la gracia medicea y recordaba la Florencia de su padre, los estudios latinos florecían de tal modo que Pietro Bembo, su secretario de Estado, le aconsejaba al otro secretario, Sadoleto, que no estropeara su estilo leyendo a san Pablo; estos dos, con Bibiena —que hizo pintar en su baño la historia de Eros y Psique—, Inghirami, que en un sermón de Viernes Santo comparó a Jesucristo con César, Arístides, Epaminondas e incluso Ifigenia, y el propio papa, intercambiaban epigramas en latín y debatían las epístolas de Cicerón en la villa de Agostino Chigi. El papa, que veía mal, era inclinado a la música y mantenía buenos músicos, entre los que quiso enrolarse mi querido Atlante Migliarotti, a quien encontré con mucha alegría; él no estaba contento porque, con la edad, había perdido su hermosura juvenil y ya no le elegían como Orfeo en las cantatas; se había tenido que contentar con un cargo de maestro de obras en el Vaticano, mientras su rival, Jacopo di Sansecondo, el que fuera violinista en la corte de Ludovico, era pintado por Rafael como Apolo en el Parnaso. Atlante fue muy cariñoso conmigo y me ayudó a conocer las intrigas romanas entre artistas, pero, amargado por dejar la música y su bel canto, murió al poco tiempo de irme yo.

Cuando le reencontré, al poco de llegar a Roma, yo no sabía que correría su misma suerte, que en Roma las capillas de artistas amigos —o que aparentaban serlo por interés— se apoyaban intensamente entre sí, se cerraban y cerraban el paso a los demás. Ni siquiera el prestigio de toda una larga carrera como la mía valía ante la mezquina cerrazón de esos grupos, donde había incluso hombres de talento. En los primeros meses yo no sospechaba semejante cerrazón ni las humillaciones que me esperaban, y viví alegremente.

Las campanas y los pinos de Roma son las mejores impresiones que me llevo de la ciudad. Por la tarde, con Bramante en el Janículo, acabando el Tempieto que le encargaron los reyes de Castilla y Aragón, contemplando la ciudad allá abajo, entre el Tíber y las colinas, oía las innumerables campanas entre los pinos como una llamada de otro mundo que intenta conectar con éste. ¡Los pinos de Roma!, qué esbelta rotundidad, qué grandeza: Roma es a Florencia como el pino es al ciprés. Hay algo en Roma que la aleja con ventaja de la severidad florentina; entré un día en la iglesia de San Lorenzo y me senté en el sitial del primer papa, Silvestre. Lo hice porque quería sentir la sensación de Roma y estaba seguro de que el primer papa no había colocado su sede en aquel lugar por descuido. Capté una sensación femenina, tierna, suavísima. ¡Así que Roma es mujer!, me dije. A pesar de Julio César y las legiones, los centuriones y los gladiadores, Roma ha sido siempre mujer, la ciudad del eterno femenino, el reverso de AMOR. Tendrás que creerme cuando te digo que sé captar la fuerza de la Tierra. Dado que todo está vivo y que la Tierra toda es un ser viviente, es posible percibir el ánimo del *anima mundi*, que se manifiesta con más fuerza en determinados lugares, que coinciden con las iglesias dotadas de mayores indulgencias. Cada iglesia está encima de un templo anterior y éste sobre un lugar sagrado que se originó en la noche de los tiempos: en esos lugares, la fuerza de la Tierra sube por las plantas de los pies y vitaliza todo el cuerpo, infundiéndole una placentera energía interior. Tampoco vale la pena discutir sobre ello: quien ha probado lo sabe.

La vida en Roma giraba en torno a los jóvenes cardenales, gente delicada y brutal, de gustos eclécticamente literarios, cínicos y sin escrúpulos, que llevaban el capelo escarlata como una máscara de baile. Los jóvenes príncipes de las dinastías Riario, Colonna, Este, se divertían en Roma con despótica desenvoltura no exenta de encanto. Petrucci, el Cupido del sacro colegio, o Hipólito de Este, con sus pajes bellísimos y sus atletas, venidos a Roma huyendo de la derrota del Moro. Los viejos vivían orgullosos como príncipes y consentidos como cortesanas: el elocuente Inghirami había engordado desde los días gloriosos en que se ganó el apodo de *Fedra*, el pálido y exhausto Rafael Riario, al que vi escapar lívido cuando la conjura de los Pazzi, era el más ostentoso y vivía en un palacio de mármoles polícromos que Bramante le construyó con las ruinas de un arco romano. Visten telas urdidas sólo para las mujeres, los niños y los cardenales; se abrigan en armiño y seda; refulgen del escarlata al amatista; sus anillos de zafiro son cincelados por Caradosso, sus herretes son rubíes orientales, sus copas son de cinabrio, calcedonia o jaspe, sus cueros de caza ligeros, dorados y damasquinados. Comen alimentos rebuscados en cubiertos de oro y plata, y cuando se retiran los faisanes o pavos reales, efebos nobles les presentan agua de rosas en aguamaniles de plata mientras entran los postres al son de pífanos y trompetas. A veces, los banquetes son servidos por enanos y en ocasiones por doncellas desnudas; otras, danzan para ellos niños disfrazados de pastorcillos, o una bailarina mora, o un bufón español vestido de oropel tocando el bombo.

Los latinistas habían resucitado también las hetairas de la antigüedad, ahora «cortesanas honestas», que mantenían gran tren de vida, recibían en apartamentos suntuosos, deparando conversación refinada, música y relaciones diplomáticas; venían de Milán, Nápoles, Venecia, España o Francia. La Bella Imperia o Tullia de Aragón usaban el latín y el griego como perfumes de su hermosura, que era considerada una virtud en sí misma: bastaba ser bella, pero ellas, además, sabían latín.

Al principio participé de la alegría romana y su lujo, recibía en mi apartamento del Belvedere, con Luca Pacioli y Atlante Migliarotti, como en los buenos tiempos de Milán, cantando, tocando la lira, improvisando poemas, debatiendo teoremas, jugando a rompecabezas geométricos; cuando nos visitaban nuestros mecenas habíamos de ingeniar sorpresas; aquel día que Juliano vino con Hipólito de Este preparamos unos intestinos de buey, limpios, conectados a un fuelle oculto, cuando estuvieron los invitados en la pieza Zoroastro los hinchó, empujando a todo el mundo a los rincones; entonces yo les dije que así era la fama, que se hincha y mueve a todos, pero se pincha con una aguja, y así perforé la tripa y la gran bola de aire desapareció. A Tullia de Aragón, cuando vino con Juliano a ver nuestro taller, le lancé unos animalitos huecos hechos con pasta de cera que al soplar en ellos se hinchaban y volaban hasta llenar la estancia; o aquel lagarto al que cosí alas de murciélago repletas de mercurio que oscilaban ominosamente, cuando lo tuve domesticado lo llevaba conmigo y lo soltaba donde menos lo esperaban y huían ante el desconocido dragón.

Por fin llegó un encargo del papa; el tema era una típica Madona y, como comprenderás, no me presentaba la menor dificultad, de modo que aproveché el encargo para experimentar sobre un aspecto de la pintura que aún me ofrecía dificultades: destilé aceites y los mezclé con hierbas para componer el barniz de la tela. Algún gracioso se lo contó al papa y éste dijo algo así como: «Este hombre no hará nunca nada, porque piensa en el final antes de comenzar la obra.» Esta ocurrencia corrió por Roma y fue como una señal para certificar lo que muchos pensaban: que yo no agradaba a León X y que, a pesar de mi fama, estaba viejo y Roma podía pasarse sin mí; la prueba irrefutable la tuve cuando vino de visita Isabel de Este. Su hermano Hipólito le organizó una fiesta en los Baños de Diocleciano: concierto de violines, laúdes y arpas, danzas hasta el alba, banquete de pavos reales, niños saliendo de enormes tartas recitando versos procaces de la Calandra de Bibiena, batallas de naranjas. Cuando deseó visitar los templos —paganos y cristianos— quien la acompañó fue Rafael. Yo había dejado de existir, mi época había terminado, era un recuerdo inútil, casi inoportuno, de otro mundo que había periclitado. Isabel sabía navegar la nueva ola, yo no quería hacerlo. Tanteé discretamente cómo verla, después de todo, aún guardaba sus entusiastas cartas pidiéndome que trabajase para ella: «Maestro Leonardo, oyendo que habéis fijado residencia en Florencia, hemos concebido la esperanza de realizar nuestro deseo: cuando vinisteis a casa hicisteis nuestro retrato al carbón y nos prometisteis pintarnos un día en color; pero comprendiendo que os será difícil cumplir vuestra promesa, porque sería preciso volver aquí, os rogamos queráis cumplir vuestra palabra dada, reemplazando nuestro retrato por un Cristo niño, de doce años, más o menos, es decir, la edad en que disputaba con los doctores en el Templo, y ejecutado con ese encanto y suavidad que son en tan alto grado características de vuestro arte. Si accedéis a nuestro deseo, además del precio que fijaréis vos mismo, nos os quedaremos tan reconocidos que no sabremos cómo corresponderos.» Detrás de la carta envió al hermano de mi primera madrastra —¡he tenido cuatro!—, un hombre que sería gran amigo mío, el canónigo de Fiesole, Alejandro Amadori, para que me rogara. No sé muy bien por qué me obstiné en no ceder; algo en el tono de Isabel, sobre todo en sus maneras de aristócrata consentida, cuya falsa amabilidad barnizaba su despotismo, me repelía, impulsándome a no ceder, precisamente por tratarse de ella; después de todo había aceptado en aquel momento pintar un cuadrito de *Virgen con huso* para el cursi de Florimond Robertet, secretario del rey de Francia, nada que ver con el maravilloso Bayard, el más completo caballero que he conocido, o con Gastón de Foix, que era un guerrero fascinante; Florimond era un leguleyo y un botarate comparado con ellos, pero tenía algo patéticamente desvalido que me inclinaba a complacerle, todo lo contrario que Isabel.

En suma, aquel entusiasmo epistolar hacia mí se había desvanecido —debía de tener ya llena la pared donde pensaba colgar mi cuadro— y se desentendió de mí con una mueca de satisfacción. Baldassare Castiglione, que hizo la gestión por mí y con quien tengo gran intimidad desde mi juventud en Milán, me dio a entender que había algo de venganza en su falta de interés hacia mis servicios. Tampoco yo quise insistir ni exponerme personalmente a sufrir un desaire ante ella. El mismo Castiglione se hizo retratar por Rafael en vez de pedírmelo a mí, a quien apreciaba sinceramente; pero, siendo un hombre de mundo, siguió la corriente y pidió su retrato al mismo autor que había pintado al papa.

Rafael era el pintor adecuado para León X y para Roma, había conseguido resumir en su arte —con facilidad y brillantez— todos los descubrimientos pictóricos de mi generación y la anterior: era la culminación de Masaccio, Piero della Francesca y los demás, pero no de mí, pues yo estaba en otra cosa; él estaba en la realidad, yo en el misterio; él llegó a donde yo en la *Cena*, pero no pasó; yo había ido más allá: podía pintar la realidad perfectamente y ya no me interesaba, ahora quería dirigirme hacia el antro de las madres, el *anima mundi*, esa energía o ser o gran fuerza invisible y poderosa que mueve la materia y la configura sin dejarse ver ni tocar ella misma. El misterio del poder formativo —y destructivo— era lo único que me atraía ya. ¿A quién, en aquella Roma rafaelesca, podía importarle eso? Quizás a Miguel Ángel, que era tolerado con recelos para que acabase su inmenso fresco de la Sixtina. Aquel tempestuoso fresco de formas precipitadas se cernía como un portento de Juicio Final sobre el carnaval de los cardenales: no se atrevían a detestarlo porque vislumbraban en aquella confusión de genios, titanes, sibilas y profetas la mezcla de paganismo, cristianismo y judaísmo que los Médicis propiciaron en Florencia. León X lo toleraba y protegía, pero lo mantenía apartado. El cardenal Farnesio se lo encontró un desapacible día invernal vagando por el Coliseo con aire de sayón, como decía Rafael, y le preguntó dónde iba: «A la escuela a aprender.» Tengo que respetarle. Me parece admirable su afán de aprender, y aunque yo nunca caí en sus exabruptos, protestas y manías, aunque tuviese igual o mayor motivo que él, su entrega al arte me tocaba profundamente. Rafael encajaba suavemente en el talante de aquella Roma, su don para llenar grandes paños de pared con frescos vivaces y armoniosos, que reflejaban lisonjeramente a los personajes de la época travestidos bajo figuras antiguas, proveía exactamente el tipo de pintura cortesana requerida en las estancias del Vaticano. Debo agradecerle que me pintara en su *Escuela de Atenas*; ahí estaban Miguel Ángel como Diógenes, Bramante como Pitágoras, Luca como Euclides; yo me llevé el mejor papel, estoy en el centro.

Pero eso era Atenas hace dos mil años; en Roma estaba fuera del cuadro. Rafael era el centro, hecho para aquella Roma de León X, hermoso como una Madona, encantador, pródigo, complaciente, hacía sentir a los cardenales que era uno de ellos y le aceptaron en su compañía. León le nombró inspector general de las Antigüedades para detener el deterioro de las ruinas, le nombró superintendente de la basílica de San Pedro al morir Bramante. De su taller salían Madonas para todos los gustos, que yo cambiaría por su retrato de Baldassare Castiglione, que me parece magistral, lo mejor que salió de su pincel verdoso y sepia. Cuando yo veía esta versión corregida y aumentada de mi facilidad juvenil me sentía vacío y paralizado; este talento ardiente me enfriaba. Rafael copió todavía mi *Leda* y quiso ser amable con su viejo maestro, pero yo sentía la indiferencia de sus aprendices y el círculo que le rodeaba, porque no digerían la ironía evasiva que yo ponía en mis obras entonces, incluso en la *Leda*. Del círculo de Miguel Ángel recibía hostilidad directamente, como siempre; no creo que les gustara mi recomendación de que el pintor anatómico debe cuidar que la indicación demasiado acusada de los huesos, tendones y músculos no vuelva su obra tiesa e inexpresiva por intentar que los desnudos expresen sentimientos.

En aquella Roma ceremoniosa y retórica no cabía mi arte insinuante, evasivo, personal. Yo no era contemporáneo de Rafael ni de Miguel Ángel, y no por ser más viejo, sino porque estaba más allá de sus límites, en un mundo más radiante y profundo, mucho más sutil y complejo que el suyo. Roma podía sobrecoger a cualquier pintor menos a mí; mi arte no le servía, pero yo, aunque dominado por la apatía, no me dejé dominar por Roma. Y lo pagué duramente.

El tiempo pasaba despacio, lo cual, a mi edad, resultaba por demás extraño e inquietante. La desazón provocada por la indiferencia y falta de encargos se fue convirtiendo en desabrimiento y luego en ese torpor que los monjes conocen con el nombre de acedía. Quien pasa largas horas tediosas repitiendo los mismos gestos sin que nada nuevo suceda que le airee su talante, le cambie los humores o le revuelva las ideas entra lento y seguro en un estado de desánimo, de sequedad, como en una mala digestión, cuando sentimos ardor en el pecho, y embotamiento indiferente, estupor; todo nos da lo mismo, no vemos la salida a la monotonía del tiempo sin eventos. Parecía que el río de mi vida se había estancado en un marasmo caluroso, húmedo e insano del que no se percibía la salida; los humores vitales se estaban pudriendo, mi temperamento se hacía por momentos desabrido, atrabiliario, desconversable, como nunca en mi vida había sido; pero nunca antes se habían unido la sensación de vejez con la de inutilidad. Acaso lo que me estaba sucediendo, aquel olvido y casi desprecio de todos los que contaban en Roma, se debía al decaimiento de mis talentos, lo cual me resistía a creer, o era más bien falta de sintonía entre mi interés hacia lo profundo y la pasión por lo superficial que me rodeaba. Yo buscaba los fondos cuando los demás se regodeaban en las formas y les bastaba con ellas. Me convertí en esquivo para no caer en derramasolaces, me refugié en las matemáticas y me encerré con Luca. Me olvidé de aprendices y pinceles, el amor ya no tenía aquella fuerza irresistible que en mi juventud, o incluso unos pocos años antes, me zarandeaba hacia situaciones comprometidas pero que, al menos, me hacían vibrar. El amor estaba reseco, ácido, muerto, como mi deseo de crear; sólo el vuelo por los espacios cristalinos de la geometría, los argumentos escuetos de las matemáticas, la inmutable belleza de la exactitud podían ayudarme a pasar aquellos meses estancados. Luca había envejecido como yo, como Atlante, que había perdido la voz y su figura de Orfeo; éramos tres ancianos venerablemente olvidados en la juvenil mascarada romana. Cuando más le necesitaba, Luca enfermó: los Médicis le crearon, los médicos le destruyeron; yo le recomendé que evitara los médicos porque sus drogas son una suerte de alquimia que ha suscitado tantos libros como remedios, que no suelen ir a ninguna parte los unos y los otros. Luca no pasó al régimen de vegetales cuando yo se lo recomendé en Venecia y ahora pagaba las consecuencias; su vida conventual le había habituado a comer insano, a veces muy poco, otras demasiado, y volcaba en el sentido del gusto lo que otros hemos dedicado al tacto. Mi dieta vegetariana me ha servido admirablemente, jamás he sufrido de la digestión y mi cabeza ha estado siempre clara, incluso después de comer. He sufrido, en cambio, de reumatismo, sobre todo en Roma, donde arrastré las humedades acumuladas de Milán y Venecia, que han terminado por paralizar mi mano izquierda. Cuidé a Luca como un hermano, porque en realidad lo fue a lo largo de mi vida, mucho más que mis hermanastros de difícil trato. Él fue el hermano que nunca tuve y sin él, cuando falleció, Roma se me hizo insoportable.

Pedí ayuda a mi protector Juliano de Médicis; le insinué que Rafael recibía doce mil ducados por cada una de las estancias que pintaba mientras que yo sólo percibía treinta y tres ducados al mes. Traté de comunicarle mi estado de misantropía y él, como aprovechando la ocasión para revelar un secreto que estaba deseando airear, me leyó un soneto que acababa de componer en loanza del suicidio. ¿Era Juliano enfermizo porque la melancolía le había llevado a la depravación, o al revés?

Quién sabe; en cualquier caso no se percató, o no quiso darse por enterado, de que le estaba pidiendo ayuda.

La muerte de Luca acabó con mis desoladas fuerzas: me sumergí a sabiendas en un estado de sopor indiferente. Como los argumentos del soneto no me habían convencido y no pensaba suicidarme —porque junto a Heráclito llorando está Demócrito riendo—, me dediqué a experimentar con espejos y a pulir lentes con objeto de construir una caldera que usaría los rayos del sol como combustible para hervir el agua de las tinturas y colorear tejidos. Mi objetivo era recoger la luz con una lente cóncava, lanzarla sobre varios espejos oblicuos y concentrarla con una lente convexa para que su calor aumentase hasta poner en ebullición las calderas de tintura. Como hacía poco había tenido que adoptar vidrios azules para proteger mis ojos de la molestia del sol, y otros transparentes para leer sin esfuerzo, había observado el distinto poder de los cristales según el espesor y convexidad que se les daba y cómo, combinando varios, se conseguía una lente de larga vista; ¿por qué no hacer las lentes y espejos lo bastante grandes para mirar la Tierra y los planetas? Y al revés, con ese mismo mecanismo de mirar usado con el sol, focalizar su calurosa luz en provecho de operaciones que necesitan combustión y que así se haría limpiamente sin recoger y acarrear leña. Estaba yo ocupado en tales operaciones cuando coloqué dos espejos, uno frente a otro, y me vi reflejado al infinito: me quedé mirando aquel semblante y, por primera vez, vislumbré el reverso tenebroso no sólo de mi aspecto físico sino de la propia autocomplacida satisfacción con que me veía; mirando al espejo cogí el carboncillo y, con feroz resentimiento por los surcos aparecidos en el campo de mi belleza, ahondé las arrugas hasta la devastación, sellé duramente los labios cansados y con furiosa exageración desordené el pelo y la barba; sólo mis ojos son exactos en ese dibujo que a ti no te gusta porque lo encuentras caricatural; si yo no era así —y tengo para mí que lo era—, esa cara representa mejor mi esencia en ese momento que lo que tú veías directamente. La cara más hermosa del mundo, como algunos habían exagerado en mi juventud, estaba arruinada por el trabajo incesante. Venus no es tan devastadora como la pasión por lo perfecto que me consumió toda la vida. Como una mujer ajada, que tuerce y distorsiona sus rasgos en un ataque de mórbida vergüenza, acusé mis rasgos para despreciarlos; en realidad ese odio a la vejez es de mi lado femenino, odio a la piel fláccida y reseca, la nariz afilada, los párpados abotargados, esos pliegues brutales que borran el contorno entre mentón y garganta. No me dibujé como algunas de las caricaturas de viejos que tú conoces y desdeñas porque no te gusta pensar que yo pueda ver así la ancianidad, pero me dibujé implacablemente y, mientras lo hacía, me prometí transmutar las doradas cenizas de mi juventud en una máscara de plata y marfil lo bastante digna para que tú fueses feliz a mi lado. Haga lo que haga la edad conmigo, mi simpatía estará siempre con la juventud y seguiré con respeto admirativo la inconsciente belleza que se cree inmortal por un día.

Mi malestar no amainaba. Di en concebir y dibujar catástrofes y diluvios como si el mundo me cayera encima. Yo pensaba en el fin de la especie humana o, al menos, en un aparatoso exterminio de la purria que nos sobra, esos trasegadores de comida y productores de excrementos. El disgusto por la muerte de Luca, el desaliento ante la indiferencia de mis displicentes mecenas, las miasmas romanas penetrando mis reumáticas articulaciones me sumieron en una febril debilidad que me tuvo postrado varias semanas. En mi duermevela veía la cima de un monte con los valles rodeando su base; en su ladera la corteza del terreno se desconchaba, desnudando gran parte de los peñascos circundantes. La turbulencia del aluvión va percutiendo y descalzando las retorcidas y globulentas raíces de las grandes plantas, arrancándolas y lanzándolas al aire, y las montañas, desnudándose, descubren las profundas fisuras hechas por antiguos terremotos, y los pies de las montañas están repletos, colmados de las ruinas de arbustos precipitados de las altas cimas, las cuales se mezclan con fango, raíces, ramas de árboles con diversas hojas infusas bajo fango, tierra y cantos. Y las ruinas de algún monte han colmado la profundidad del valle, formando orilla a las crecidas aguas de su río, el cual, rompiendo las riberas, discurre con grandísimas ondas, de las cuales las mayores percuten y derriban los muros de las ciudades y villas de tal valle. Y las ruinas de los altos edificios de las ciudades levantan gran polvareda, la cual se alza en forma de humo donde nubes retorcidas se mueven contra la lluvia descendente. En torno de mí sólo percibía árboles venerables arrancados, fragmentos de montes despedazados colmando torrentes y valles hasta inundar los llanos con sus habitantes. En las cimas de las colinas veía aterrados animales de diversas especies, reunidos y sometidos a mansedumbre en compañía de hombres y mujeres que se han refugiado allí con sus niños. Las aguas que cubren los campos estaban cubiertas de mesas, camas, barcas, y otras balsas hechas por necesidad y miedo a la muerte, en las que flotaban hombres y mujeres con sus niños entre lamentos y lloros, asustados del furor del viento, el cual, con tempestuosa violencia, encrespaba las aguas revueltas de muertos, ahogados en ellas, y no se veía ninguna cosa flotando que no estuviese cubierta de diversos animales, los cuales, acordando una tregua, estaban juntos en pavorosa mezcolanza: lobos, zorros, serpientes y de otras clases, huyendo de la muerte. Y las aguas, batiendo en las orillas, parecían percutirlas a golpes de cuerpos, que mataban a los que aún permanecían en vida. Podía ver grupos de hombres defendiendo a mano armada los pequeños espacios que les quedaban contra leones, lobos y bestias rapaces que intentaban salvarse allí. ¡Oh, cuántos ruidos espantosos se oían por el aire oscuro, percutido del furor de truenos y fulgor de rayos, destrozando todo lo que encontraban a su paso! ¡Oh, cuántos habríais visto tapándose las orejas con sus manos para atenuar los inmensos ruidos causados por el tenebroso aire, el furor de los vientos mezclados con lluvia, truenos celestes y furores de relámpagos! Otros, no contentos con cerrar los ojos, ponían sus manos, una encima de otra, para tapárselos con fuerza y no ver la cruel mortandad de la raza humana por la ira de Dios. ¡Oh, cuántas lamentaciones, cuántos, aterrorizados, se tiraban de las peñas! Veía grandes ramas de inmensas encinas cargadas de hombres llevados por los aires por el furor de impetuosos vientos. Cuántas barcas volcadas, unas enteras, otras partidas, con gente en ellas tratando de escapar con gestos de dolor previendo una pavorosa muerte. Otros, con gestos desesperados, se quitaban la vida, desistiendo de soportar tal dolor, de los cuales algunos se tiraban de las rocas, otros se apretaban la garganta con sus propias manos, otros cogían a sus propios hijos y los mataban de un golpe, algunos se herían y mataban con sus propias armas, otros, postrándose de rodillas, se encomendaban a Dios. ¡Oh, cuántas madres lloraban a sus hijos ahogados! Unas, teniéndolos sobre las rodillas, alzando los brazos abiertos hacia el cielo y con voces compuestas de diversos gemidos desafiaban la ira de los dioses; otras, con las manos juntas y los dedos cruzados, los mordían y devoraban hasta sangrar, plegándose el pecho contra las rodillas por el inmenso e insoportable dolor. Veía rebaños de animales, caballos, bueyes, ovejas y cabras, rodeados por las aguas, aislados en las cimas de las montañas, apretándose, y los de en medio elevarse y caminar encima de los demás, luchando todos contra todos, muriendo a falta de comida. Y ya los pájaros se posan sobre los hombres y otros animales no hallando tierra vacía que no fuese ocupada por vivientes; ya el hombre, ministro de la muerte, había quitado la vida a gran parte de los animales cuando los cadáveres ya levificados surgían desde el fondo de las profundas aguas y aparecían en superficie. Entre las ondas en lucha se golpeaban unos contra otros como bolas llenas de aire, rebotaban hacia atrás y quedaban en una balsa de muertos. Y sobre estas maldiciones veía el aire cubierto de oscuras nubes, rasgadas por las serpenteantes centellas de los furiosos relámpagos del cielo, que alumbraban aquí y allá, bajo la oscuridad de las tinieblas.

Así veía yo el fin del mundo y, aunque trataba de despertar y hacía esfuerzos por abrir los ojos, el horror continuaba en mi delirio onírico devastador. Aquel sueño se dibujó paulatinamente en duermevela, pero continuaba captando imágenes: tiniebla, viento, tempestad marina, inundación, bosques en llamas, lluvia, rayos del cielo, terremoto y ruina de montes, aplanamiento de ciudades. Torbellinos de viento que arrastran agua, ramas de árbol y hombres por los aires. Ramas arrancadas por el viento con gente encima. Naves rotas batiendo los escollos. Granizo, rayos, huracanes. Gentes agarradas a árboles y que no pueden sostenerse; árboles y escollos, torres, colinas llenas de gente, barcas, mesas, pesebres y otras balsas improvisadas. Colinas llenas de hombres, mujeres y animales; relámpagos de las nubes lo iluminan todo. Y en parte alguna divisé el Arca de Noé.

Cuando fui capaz de volver en mí tomé los carbones y dibujé cuanto había visto en sueños para dar rienda suelta a mi mal humor, mi tristeza, mi falta abismal de confianza en los hombres y de cariño hacia ellos. Hubiese querido, como Dios, ser capaz de destruir la especie humana entera, perecer yo mismo para que tal monstruo inútil, tal degenerado idiota no cubriese la faz de la Tierra con sus atrocidades: encerrar, matar y comer animales, encadenar y exprimir a las vacas hasta la extenuación, apalear a los asnos, matar de hambre a los perros, encarcelar a los pájaros. Y la culminación de todo este sacrilegio contra la naturaleza: matar más de lo que pueden comer y finalmente matarse entre ellos. Hubiese querido precipitar el universo entero en el abismo que me engullía.

El trabajo con los espejos, que prometía ser fecundo en invenciones, comenzó a ir mal por culpa del técnico alemán Johannes que el cardenal me asignó como ayudante: yo le recibí en casa como un pupilo más y le senté a la mesa para que aprendiera más pronto italiano. En cuanto se hizo cargo de la situación y aprendió a moverse por Roma empezó a faltar a su trabajo, a pesar de que yo le pagaba siete ducados y por adelantado, lo cual, sobre los treinta que yo disponía, era mucho. Cuando envié a buscarlo resultó que andaba todo el día con los suizos de la guardia papal, comía con ellos y luego se iban a disparar a los pájaros por las ruinas del Foro. Cuando le exigí que volviera arguyó que trabajaba para el cardenal, quien lo desmintió. Al cabo reanudó su trabajo en las lentes conmigo, pero ya no me fiaba de él: opté por usar terminología alquímica en mis notas para que no descubriese las aleaciones de metales que estaba probando en mis reflectores metálicos. Luego descubrí que se llevaba lentes que pulíamos trabajosamente y las vendía por su cuenta en las ferias. De ahí pasó a robarme directamente dinero. Yo había recibido mil ducados en pago del cuadro sobre Leda, que duraron tan poco que me vi, contra mi natural, obligado a indagar entre los de mi casa qué estaba sucediendo con el dinero. Una vez más,

Salai estaba detrás de mis disgustos. Para entonces, mi pasión por él se había prácticamente extinguido, pero conservaba un cariño que no me devolvía. Se gastaba el dinero con el alemán, que era su último capricho, y le llevaba con él por Roma a divertirse como él sabía hacerlo.

Cuando por fin saqué las cuentas y exigí responsabilidades, la perfidia de mi amado Salai dio con un recurso que aún no había empleado: incitó al alemán a denunciarme al Santo Oficio. Una de esas mañanas desabridas en que despertaba sin ánimos y sin curiosidad vinieron dos lacayos del Vaticano requiriéndome a que me presentara ante el cardenal del Santo Oficio. Nunca he tenido roces con la Iglesia porque sé que no sirve de nada argumentar con ellos y menos aún oponérseles: en el mejor de los casos te ofrecen un capelo cardenalicio y en el peor te torturan y queman; como no deseaba ni lo uno ni lo otro, he tenido buen cuidado en guardar ciertas opiniones para mí, y si las proferí, fue delante de amigos a puerta cerrada. De modo que no entendía por dónde venía la denuncia. Acudí al Vaticano, que conocía bien por mis trabajos con Bramante, pero me llevaron a una zona poco frecuentada y que yo no había pisado; por fuera nada la distinguía de otras dependencias del laberíntico palacio, pero algo en el ambiente flotaba ominoso. Yo, que he sido de natural sensible a esas impresiones, capté que bajo aquellas salas había dolor, sangre y desesperación. El inquisidor se parecía tanto a Savonarola que casi arranca de mí una amarga sonrisa: el inquisidor es un hereje con éxito; el hereje, un inquisidor fracasado. Me recibió con indiferente cortesía y tras las formalidades de rigor me preguntó por mis trabajos en el hospital del Santo Espirito. Mientras recapacitaba de quién podía venir la denuncia le expliqué francamente por qué me tomaba la desagradable molestia de abrir cadáveres; incluso le comuniqué algunos de mis hallazgos, como el asiento del espíritu en la glándula en forma de piña que está en la silla de hueso que hay en el centro del cerebro. Me dejó hablar como si supiera de antemano lo que yo diría, elogió mis capacidades y me comentó, como quien no dice nada: No parecéis percataros de que no todos los hombres son genios. No es tarea de la Iglesia salvar a los pocos con talento suficiente para salvarse a sí mismos; estamos para elevar el nivel general del pueblo y no lo lograríamos diciéndole a cada uno que sea su propia ley. Esto equivaldría a decirle a cada persona que es libre, ¡Dios nos asista! El problema del libre albedrío es insoluble, como el problema del mal, y nosotros lo sabemos. No podemos poner el listón tan alto. Nosotros, los pastores de almas, somos desgraciados porque sabemos cuán difícil, por no decir imposible, es salvarse. Pero siempre hemos guardado este secreto sin revelarlo al pueblo, que no son mucho más que animales, por cierto. ¡Y vos queréis desvelar los secretos de la naturaleza para infundir en los hombres la seguridad de que serán libres si lo desean y de que serán como dioses! No lo permitiremos. Por ello os conmino a que ceséis en esos estudios sensatamente prohibidos. No deseamos pasar a mayores con vos, no está en el estilo de un papa Médicis perseguir al pupilo de su padre. León X os respeta aunque no os aprecie, y me ha recomendado que archive esta denuncia con discreción. Pero no debe repetirse.

Yo no era Savonarola, la tozudez impotente me parece destructiva, así que decidí acabar con mis experiencias de anatomía pero, a la vez, dibujar y poner por escrito todos mis hallazgos, que tú guardarás, Francesco, para pasarlos a quien lo merezca. Llegará un momento en que seremos demasiados investigando para que sea factible acallar nuestros descubrimientos. Quizás ellos estén dispuestos a quemar a cuantos crean necesarios, pero si somos numerosos, escaparemos de sus manos y algún príncipe acabará por darnos cobijo. Una academia de sabios protegida por un príncipe sensato puede cambiar la faz del mundo; en Milán la iniciamos, pero se dispersó con la caída del Moro; en Roma no había sabios, sólo diletantes, y yo no tenía fuerzas para ser el embrión de otra academia; además, va contra mi modo de ser: en Milán me apoyaba en Luca y participaba más que guiaba.

De todos modos, el inquisidor era hombre ilustrado, cínico y curioso, de modo que antes de terminar la audiencia tuve que contarle dónde situaba yo, merced a mis disecciones nocturnas, el asiento corporal del alma. Le hice un croquis de la silla ósea donde, a mi entender, por medio de la glándula que se esconde allí, en el centro más protegido del cerebro, se encuentran el espíritu y la materia. De ahí pasó a inquirir sobre mi idea del alma, rogándome que hablase con toda franqueza, pues nada debía temer de quien sólo castiga a los que atacan la fe en público y desafiando la jerarquía romana. Le conté que el alma parece residir en la parte del juicio y éste parece estar en el sitio donde concurren todos los sentidos, al cual se llama sentido común. El sentido común es el que juzga las cosas que le traen los otros sentidos. Los antiguos especuladores han concluido que aquella parte del juicio que es dada al hombre es causada por un instrumento al cual se refieren los otros cinco mediante la impresiva; a dicho instrumento han llamado sentido común; y dicen que ese sentido está situado en medio de la cabeza, entre la impresiva y la memoria. Y ese nombre de sentido común se le da solamente porque es juez común de los otros cinco sentidos, es decir: vista, oído, tacto, gusto y olfato. El sentido común se mueve mediante la impresiva (donde se gravan las sensaciones), que está situada entre él y los sentidos. La impresiva se mueve mediante las similitudes de las cosas que le envían los instrumentos superficiales, o sea, los sentidos, los cuales están situados entre las cosas exteriores y la impresiva. Análogamente, los sentidos se mueven mediante los objetos; las cosas circundantes mandan sus similitudes a los sentidos, los sentidos las transfieren a la impresiva, ésta al sentido común y aquél las establece en la memoria; y allí son más o menos retenidas según la importancia o potencia de la cosa dada. Aquel sentido es más veloz en su oficio que está más cercano a la impresiva; el ojo es superior y príncipe de los sentidos, ventana del alma, capaz de aprehender diez aspectos distintos de las cosas: luz, oscuridad, color, sustancia, forma, lugar, distancias, proximidad, movimiento y quietud.

El sentido común no está esparcido por el cuerpo, como muchos han creído, sino está enteramente en un punto, porque si el alma estuviera esparcida por todas partes no sería necesario que los instrumentos de los sentidos se encontraran en un centro y un solo punto; al contrario, habría bastado que el ojo operase el oficio de su sensación sólo en su superficie, y no mandar por la vía de los nervios ópticos la similitud de las cosas vistas al sentido común, pues el alma, por la razón dada antes, lo podría comprender en esa superficie del ojo. Y análogamente, el sentido del oído: bastaba solamente que la voz resonara en las cóncavas porosidades del hueso pétreo que está dentro de la oreja, y no hacer desde ese hueso al sentido común otro tránsito donde el sonido de la boca discurre al sentido común. El sentido del olfato también se ve constreñido a concurrir al sentido común. El tacto pasa por las cuerdas agujereadas y es llevado a ese sentido, las cuales cuerdas se van esparciendo con infinitas ramificaciones en la piel que circunda los miembros corpóreos y vísceras. Las cuerdas perforadas llevan las órdenes y la sensación a los miembros subordinados, esas cuerdas y nervios entre los músculos y tendones ordenan a éstos el movimiento, ellos obedecen y tal obediencia se pone en acto al hincharse, pues al hincharse acortan su longitud. Los nervios que se entretejen por las partes de los miembros, estando infusos en el extremo de los dedos, llevan al sentido común la razón de su contacto.

Los nervios con sus músculos obedecen a las cuerdas como soldados al condotiero, y las cuerdas sirven al sentido común como el condotiero al capitán, y el sentido común sirve al alma como el capitán a su señor. Así, la juntura de los huesos obedece al nervio, el nervio al músculo, el músculo a la cuerda y la cuerda al sentido común. El sentido común es el asiento del alma, la memoria es su munición y la impresiva su referencia, pues el sentido es del alma y no el alma del sentido. Donde falla el sentido que oficia para el alma, fallan también las funciones de ese sentido, como sucede en el mudo y el ciego natos.

Aunque el ingenio humano haga variadas invenciones, respondiendo con varios medios a un mismo fin, nunca hallará invención más bella ni más fácil ni más breve que la naturaleza, porque en sus invenciones nada falta y nada es superfluo, y no va con contrapesos cuando hace los miembros aptos al movimiento en el cuerpo de los animales, mas mete dentro el alma del cuerpo compositor, o sea, el alma de la madre, que primero compone en la matriz la figura del hombre y a su debido tiempo despierta el alma que debe habitarlo, la cual hasta ese momento estaba dormida y en tutela del alma de la madre, la cual la nutre y vivifica por la vena umbilical, con todos sus miembros espirituales, y eso suele suceder porque el ombligo está cosido a la placenta y los cotiledones, por los cuales el hijo se une con la madre, y éstos son la causa de que una voluntad, un antojo, un miedo que tenga la madre u otro dolor mental en la madre tenga más potencia en el hijo que en ella, pues hay muchas cosas en que la criatura pierde la vida por ellos.

Para terminar, le dije mirándole a los ojos sin pestañear: El resto de la definición del alma la dejo a las mentes de los frailes, padres del pueblo, los cuales saben todos los secretos por inspiración.

El cardenal sonrió levemente y cambió de conversación: «Vuestro protector Juliano de Médicis, hermano del papa, me ha mostrado una carta de Andrea Corsali donde le escribe que unos gentiles llamados guzaratos no se alimentan de cosa alguna que tenga sangre y que entre ellos no consienten que se dañe a nada animado, como nuestro Leonardo da Vinci.» Estaba claro que el gran inquisidor quería ser amable conmigo, su actitud apaciguó mis recelos y seguimos una larga conversación donde calibré aquella inteligencia que casi igualaba su cinismo. Le confesé por qué era vegetariano. Llaman al hombre rey de los animales, yo le llamaría rey de las bestias, ya que es la mayor, porque sólo las ayuda para que le den sus hijuelos en beneficio de sus tragaderas, y hacerse sepultura de todos los animales; y diría más, si se me permitiera declarar la entera verdad. Américo Vespucio, buen amigo mío, escribió a Soderini contando su estancia en las islas Canarias hace diez años con toda clase de detalles truculentos sobre las gentes de allí y su canibalismo. No sé si es así o se trata de otra exageración del sensacional Vespucio, pero sé que existen pueblos que comen carne humana, lo cual no sucede con los animales de la Tierra, ninguno de los cuales come a los de su misma especie, a no ser que les falte sentido (pues hay idiotas entre los animales como entre los hombres, aunque en menor número). ¿Acaso la naturaleza no produce bastante alimento vegetal para satisfacernos? Y si no se tiene bastante con ello, se pueden hacer infinitos compuestos, como escriben Platina y otros autores que tratan de la comida.

Con esta nota mundana acabó mi conversación con el cardenal, a quien, por supuesto, no volvería a ver. Ya que hablamos de comida, te diré que para estar sano hay que observar estas normas: no comas sin ganas y cena leve, mastica bien; que lo engullido esté bien cocido y con sencillez; quien pilla medicina, mal se informa. Guárdate de la ira y huye del mal humor; quédate un rato de pie tras levantarte de la mesa. No duermas a mediodía; el vino sea temperado, poco y espeso, ni fuera de comidas ni con estómago vacío. No retardes ni provoques las deposiciones. Si haces ejercicio, sea leve. No yacer con el vientre abajo o la cabeza colgando; cúbrete bien de noche. Reposa la cabeza y ten la mente alegre, huye de la lujuria y aténte a la dieta. La medicina es la restauración de elementos discordantes; enfermedad es discordia de los elementos infusos en el cuerpo vivo. Te enseño a conservar la salud; y lo conseguirás tanto mejor cuanto te guardes de los médicos. Hacemos nuestra vida con la muerte de otros. En la cosa muerta permanece vida insensible, la cual, recogida en el estómago de los vivos, retoma vida sensible e intelectiva. El hombre y los animales son tránsito y conducto de comida, sepultura de animales, albergue de muertos, haciendo su vida de la muerte de otros, cofres de corrupción. La muerte en los viejos, cuando no es de fiebre, es causada por las venas que van del bazo a la puerta del hígado, y se engrosan tanto sus paredes que se cierran y no dan tránsito a la sangre que los nutre. El curso continuo de la sangre por las venas hace que éstas engorden y se hagan callosas, en tal modo que, al final, se cierran e impiden el curso a la sangre.

Las lágrimas vienen del corazón y no del cerebro, pero la maldad de Salai denunciándome a la Inquisición venía del cerebro, de modo que esta vez arranqué las lágrimas de mi corazón y lo eché a él junto con el alemán. Procuré que todo sucediese discretamente para que tú no padecieses por mí, a pesar de lo cual te enteraste. ¿Quién, si no, dejó aquella nota que leí, esta vez sí, con lágrimas en el corazón? *«Leonardo mio, per che tanto penate?»* Cuando leas esto yo habré muerto y puedo agradecerte lo que mi rubor me impidió confesar en su momento. Tu lealtad me dio fuerzas para salir de aquel marasmo romano y abrir, una vez más, los horizontes. Viejo, cansado, decepcionado, tu amor me dio fuerzas para emprender el último viaje. Pagaste con tu herencia las deudas que contraje durante aquella maladada estancia en Roma. ¿Por qué llegaste tan tarde a mi vida? ¿Acaso el destino ha querido otorgarme en ti mi última felicidad? Salai salió de mi vida como había entrado, esquinado, hosco, traidor, sicario de mi Némesis, enviado por las furias para hurgar las heridas de un incesante castigo. No he sabido de él hasta hace muy poco, en que me llegó noticia de su muerte innoble en una riña callejera de Milán.

Rafael reinaba en el Vaticano, Miguel Ángel en Florencia, Ticiano en Venecia; sólo los franceses me apreciaban en mi justo valor porque me conocían tras su ya larga estancia en Milán, así que acepté la invitación de

Francisco I, que me quería junto a él en Amboise. Me llevé todas mis pertenencias, cuadros, dibujos y manuscritos porque sabía que era mi último destino, aunque tú aún te resistes a creerlo. Ya no viviré mucho más, Francesco, espero que el tiempo necesario para acabar esta carta de despedida.

Francisco I había vencido a los españoles de Cardona en Marignano, donde Trivulzio, Bourbon y Bayard le ayudaron a derrotar por fin a los invictos mercenarios suizos. El rey francés era joven, alimentado de romances y caballerías, se veía desde niño como un César, deseaba superar la legendaria memoria de su amigo Gastón de Foix y crear los nuevos pares de Carlomagno. El día de su gran victoria, el fabuloso Bayard, el más completo paladín que conoció la cristiandad, el caballero «sin miedo y sin reproche» armó caballero al rey con su espada. Se quería también protector de las artes y yo conseguí asombrarle con aquel león que anduvo hacia él, se abrió de pronto y saltaron de sus entrañas mecánicas los lises de Francia. Mi conversación acabó de seducirle, como me suele ocurrir con todos los jóvenes bien nacidos. Francisco I sabía lo que quería, y quería llevar el arte y refinamiento italianos a su país, que los tenía pero de manera fragmentaria, suficiente en algunos aspectos y deficiente en otros. Supongo que alguien como yo, educado en Florencia, madurado en Milán, versado en las ciencias y las artes, la música y la cortesía era adecuado a sus propósitos. El papa le dio a Francisco I —tras su victoria de Marignano, claro— como *baiser de paix* una astilla de la Vera Cruz en un relicario de oro y diamantes.

Esta joya había pertenecido a Ludovico; el papa la había tomado a la muerte del cardenal Ascanio Sforza: la familia milanesa se extinguía y sus tesoros pasaban al nuevo poder, ¿vamos a extrañarnos? A Francisco, la reliquia le pareció un regalo demasiado anticuado e hizo saber a la curia que prefería el *Laoconte*; el papa asintió no sin rubor y, de vuelta en Roma, mandó una mala copia. Yo no dije nada, ¿para qué desengañar al rey e irritar al papa? Lo que pasara en Italia ya no me concernía.

Coroné los Alpes por Saboya en dirección a Lyon. En lo alto del collado vi los picos envueltos en nubes: oí dentro de mí estas palabras, o las sentí, no lo sé: «La que sonríe para sí, como una montaña cruzada por una nube», entonces supe que acabaría el retrato de mi madre porque había por fin comprendido su sonrisa.

«ARMONIA MUNDI»

Tú que has vivido junto a mí estos años en Amboise sabes que el rey ha sabido tratarme con la amabilidad y la distancia que necesito, que nada nos ha faltado, no existen aquí los retrasos —sobre todo en los pagos— que me mortificaban en Italia; he tenido lo que requería, tampoco es mucho; Maturina nos ha cuidado como una madre, hasta consentirnos y mimarnos. Los trabajos han sido agradables, las visitas amables, el respeto me ha dado ánimos para sacar fuerzas de flaqueza. He pintado con gafas y con tiento porque no podía dejar al Precursor y la Madre inacabadas sin que transmitiesen lo que deseo expresar: es mi legado. Muchos juzgarán que es poco. No lo es: para qué dejar riqueza, eso lo hacen otros; mis conocimientos sacados de la experiencia están escritos en los cuadernos. Mi gran obra de arte ha sido mi estado de ánimo, destilación de lo que he vivido y sentido. Con eso se construye un aéreo palacio perecedero que se derrumbará cuando deje de vivir. Pero ese estado es lo más preciado, y quiero dejar dicho que existe, que es posible y que yo lo he alcanzado. Lo digo en esos dos semblantes, retratos del ideal posible.

Que las fuerzas me abandonan destruidas por el reuma y la artrosis es un secreto a voces: mi mano que podía torcer una herradura no es capaz de sostener un pincel; mis ojos se apagan. Tengo que apresurarme para acabar mis obras en esta carrera contra la decrepitud. No tiene sentido reseñar mis achaques, prefiero aclararte mi desarrollo intelectual. Cuando estudié la mecánica quise expresar las fuerzas por medio del movimiento, curvado y rampante a ser posible, caballos y jinetes retorcidos en torbellinos de energía combativa o bien, en las figuras, el *contraposto*; cuando me dediqué al organismo de los seres vivos quise expresar la gracia o virtud por medio del *sfumato* y las resonancias visuales; con el tiempo me he interesado más y más en la transformación, el torbellino creador destructivo que arrastra consigo fuerza o gracia sin dejar nada de lo anterior, siempre configurando lo nuevo: torbellinos, flujos y vórtices, diluvios o cataclismos expresan esa fuerza interior, esa *virtu* del *anima mundi* que Toscanelli llamaba energía. La destrucción es creativa, la transformación es la esencia íntima, el secreto de la naturaleza. Cuanto más profundicé en mis investigaciones, más se me apareció la impotencia humana: al estudiar el agua y su movimiento le encontré un poder más allá del control humano; al estudiar las capas de la Tierra descubrí que la Tierra ha sufrido levantamientos tremendos cuyos ecos extenuados son los terremotos. En el movimiento universal todo fluye y se cambia; y si todo está en continua tranformación, no puede ser controlado por el sistema matemático que Luca veneraba como clave de todos los arcanos. Por el diluvio y el cataclismo, la energía, ese flujo universal imparable, arrasa el inmutable palacio de cristal de la geometría. La inmutabilidad está sólo en nuestro pensamiento, en nuestros deseos de permanencia puestos en forma de teoremas; ¡ilusos cobardes!, ahí fuera hay una energía incesante, imparcial, imperecedera que nos arrolla y se nos lleva con las manos vacías y la cabeza llena de teoremas.

Por eso he estudiado el origen de las formas allí donde están más en embrión, más fluidas: en el agua y el aire, elementos más cercanos a la esencia inmaterial de la energía; en el modo de actuar del agua aprendí los modos de acción de la energía, que es continua, gradual e incorpórea. Es la energía o *virtu* el origen de la forma, que se infunde en la materia y la conforma por medio de la vibración y la onda. En el agua y el aire, la fuerza se hace una con la forma. Los movimientos de la materia son líneas quebradas en ángulos, los del agua y aire son sinuosos, curvados, sin solución de continuidad. Las nubes son los ríos del cielo. El movimiento ondulante, el torcerse de las ondas en un torbellino —que reúne linealidad y circularidad— es el símbolo de la penetración de la *virtu* incorpórea en la forma material.

El choque de dos corrientes se resuelve en un remolino, la caída de un chorro crea sucesivas ondas concéntricas: en la transparencia de los elementos más fluidos se vislumbra, como un signo revelador, la forma de la energía. Vórtices, es decir, cavernas. El torbellino de agua es una caverna fluida, la caverna es un torbellino petrificado, analogía con el *contraposto,* que es una espiral en la postura humana. Un vórtice o torbellino es una fuerza y una forma unidos indisolublemente en el agua o el aire: la fuerza genera la espiral y la espiral genera la fuerza succionadora; forma y fuerza confundidas, fuerza con forma, forma en fuerza transformada.

Yo investigué para penetrar desde las fuerzas que mueven la materia por fuera a la virtud que las anima por dentro, pero al penetrar más profundamente me encontré con algo irresistible que ni siquiera la *virtu* del cuerpo vivo logra conjurar: es esa ansia de transformación que invade todo lo compuesto, tanto lo vivo como lo inanimado, y que ni siquiera la fuerza del ánima —o del ánimo— puede deteriorar. Cuando me asomé al antro de las madres y contemplé en la caverna de la energía los rituales de la creación y la destrucción comprendí que llamamos bien a lo que nos conviene y mal a lo que amenaza nuestra continuidad, sin querer aceptar que somos porque algo se descompuso para configurarnos y otros nacerán porque nuestra unidad se descompondrá; ¿qué hay de bueno o malo en ello? Depende de quien lo juzgue: el que va a nacer o el que está camino de perecer. La misma madre que nos da la vida —la naturaleza— nos la quita: vida y muerte son cara y cruz de su moneda, haz y envés del tapiz que tejen las Parcas.

Hay una síntesis más allá del bien y del mal donde creación, que es fuerza y gracia, se confunde con destrucción, que es energía y transformación, para pasar a otra creación, y así eternamente: ¿Quién puede pararlo y para quién? Habría que parar el sol en su camino y anclar las estaciones en sucesión, detener la órbita celeste y acallar la música de las esferas. Dios no se muestra dispuesto a ello, por lo menos hasta el momento. El misterio de la energía cuya esencia es destrucción creativa y creación destructiva es un conocimiento contradictorio, esa fusión de opuestos no puede ponerse en palabras porque no tiene cabida en la lógica; he intentado expresarlo en la sonrisa y el andrógino, en esas dos caras donde la madre y el destructor, la bondad y la indiferencia insoportable que llamamos crueldad se unen, conviven y, en verse, se recrean.

El andrógino, hijo de Hermes y Afrodita, es sabiduría voluptuosa, erotismo ascético, un ser bifronte donde masculino y femenino se funden en un *sfumato,* el hombre se funde suavemente en la mujer como la luz se diluye insensiblemente en la placentera y deleitosa sombra. No he recurrido al andrógino para expresar mis preferencias estéticas o eróticas, sino para señalar un camino espiritual hacia aquel nivel de conciencia angélico que el hombre es capaz de alcanzar, incluso en esta vida —quien ha probado lo sabe—, y que yo deseo como próximo nivel para la humanidad en su conjunto. ¿Conoces el texto gnóstico?: «Cuando el hombre sea mujer, la mujer hombre, los dos uno y lo de arriba igual a lo de abajo, se habrá consumado el misterio.»

El andrógino ha sido para mí el modo de expresión artística de un conocimiento, el símbolo de un estado de ánimo que he alcanzado, la fusión en la mente y la sensibilidad de lo que piensa el hombre y siente la mujer, de lo que piensa la mujer y siente el hombre; yo sé fundir sin confundir lo que se usa por separado: he sido hombre y mujer a la vez. Lo sentía ya cuando dibujé la cara de la abuela del Salvador, santa Ana, la madre de la madre, se me apareció como un fauno, una fuerza amenazadora y burlona, la madre naturaleza se había confundido en energía impersonal, indiferente, siniestra. El Precursor, Salai, señala al cielo, pero su máscara afeminada y reticente inspira sospechas; se diría que es uno de los dioses caídos que, para vivir, se ha enrolado en la religión cristiana: muestra el cielo pero se burla; él conoce la doctrina secreta y no cree en el Cristo que anuncia; no obstante, esboza para el vulgo el gesto convencional que tranquiliza a las gentes.

Como las pinturas no hablan, no podrán acusarme de impiedad. Dirán, como ya lo hicieron durante mi vida, que, filosofando, me he apartado tanto de la religión cristiana que he llegado a concebir una creencia herética. ¡Si ellos supieran! ¿Se puede llamar hereje a quien sigue las enseñanzas de Hermes Tres Veces Grande? Mi querido Heráclito habló de armonía en la diversidad, como el arco y la lira que lanzan su flecha y emiten su sonido merced a la tensión entre los extremos opuestos; los alquimistas llaman *misterium coniunctionis* a la fusión de opuestos: azufre y mercurio, seco y húmedo, masculino y femenino, dando lugar al andrógino alquímico. Este estado de ánimo andrógino es insólito, inefable, intransferible, y la única expresión visible que se me ha ocurrido es la sonrisa. Vi en el Palatino una copia del *Hermes* de Praxíteles y descubrí con emoción esa sonrisa que yo creía sólo mía. Tanto mejor: otros lo han alcanzado. La puse también en la cara de mi madre porque así la vi aquel día fatídico en que Salai le dio el disgusto de muerte. Espero que quienes la contemplen se pregunten: ¿Qué sabe, adónde ha llegado esta persona que sonríe así, para sus adentros, como si conociera un secreto, una suprema serenidad de estar consigo misma, que desborda en esta sonrisa serena, burlona, complacida, incluso maligna? Su sonrisa es una pregunta que dejo a quienes la vean; los secretos del andrógino no son sólo míos, quien los conozca reconocerá la sonrisa y sabrá que yo he sido uno de ellos, de los que iniciamos el camino que va del hombre al ángel. ¿Quién llegará y cuándo? Poco importa si nos ponemos en camino, que más no podemos sin un don del cielo. El Salai-Precursor es una interrogación, una señal; la Madre-Lisa es la respuesta. Quien sabe comprenderá; quien no, se quedará con el enigma y la olvidará con irritación.

Pero en esta sonrisa está toda mi obra, es la sonrisa de mi madre tal como la vi antes de morir, durante aquellos meses en que vino a vivir conmigo en Milán. Había deseado conocerla a fondo desde que supe mi bastardía, pero no podía quedarme en Vinci, así que la persuadí para vivir conmigo cuando enviudó. Hablaba poco, se movía con sosiego y lo hacía todo con serenidad; aprendí a conocerla por sus gestos, que no por sus palabras, y quedé fascinado por su sonrisa: el día que Salai me delató ante ella, su rostro, al mirarme, quedó grabado para siempre en mi memoria. Ahí está, en el cuadro.

¿Qué me estaba diciendo? No era reproche ni aprobación, era sólo aceptación: todo lo que es está bien. Así lo he entendido al final de mi vida. Cuestión enorme ésta, porque nadie puede comprender que muera un niño, que triunfe el mal, que haya un terremoto. Para mí es comprensible; un terremoto es para la cordillera de los Apeninos, o del Cáucaso, como una sonrisa: las montañas fruncen su entrecejo y se abre la tierra. ¿Para quién es una desgracia? No para la montaña, que se encoge de hombros, sino para los seres vivos que caen en las grietas. Si preguntas a la cordillera, no existe tal desgracia; si preguntas a un hombre, sí. Dios, o quienquiera que haya puesto en marcha este mundo, no puede preguntar al hombre lo que le gusta. Dios ha puesto en el universo cuatro o cinco grandes leyes que hacen funcionar la inmensa maquinaria; éstas son la Armonia Mundi; además, para que haya evolución ha permitido que exista una parcela de azar que da entrada a la creación continuada y a la pequeña libertad humana. Sin ese azar nada cambiaría por los siglos de los siglos; pero en ese azar cabe lo que los humanos llamamos desgracia o injusticia y, sobre todo, cabe la libertad, la invención, el cambio. No podemos tener libertad de innovación sin aceptar un cupo de desgracia. A quien le toca el mal le ha correspondido una suerte lamentable, pero el resto viven y progresan merced a esa puerta abierta que puede traer el mal, pero que trae, sobre todo, el enorme bien del cambio.

El sufrimiento, que nos ahonda, crea la distancia y la impersonalidad para ver el bien y el mal en su conjunto, no en la estrecha limitación egoísta del yo. Quien ha contemplado un círculo demasiado grande de cosas buenas y malas sabe que el mundo las necesita, que no puede evitarlas so pena de reducirse a un engranaje repetitivo, sin posibilidad de evolución. Llamamos azar al reparto de suerte, y lo que no comprendemos es por qué a unos sí y a otros no, por qué en un momento y no en otro. Pero que esa mala suerte es inseparable de la buena, lo alcanzamos a comprender, lo intuimos en la perfección de la hora, la obra bien hecha, la serenidad silenciosa y parada, cuando el tiempo no cuenta porque no avanza. Cuando el tiempo se convierte en espacio nos asalta la inesperada convicción de que todo está bien. Entonces surge la sonrisa. Es lo que he pintado en el rostro de mi madre.

Cuando creía que estaba aprendiendo a vivir, estaba aprendiendo a morir. Todo el conocimiento que he acumulado a través de mis agudos sentidos abandonará mi mente cuando, el cuerpo vuelto al polvo, mi espíritu divague por el empíreo impenetrable a las leyes de la materia, donde sólo destellos de imaginación creativa, prendidos en celeste antorcha, me servirán de guía. Copos de nieve caen lentamente, cada uno en su sitio, ¿acaso mi vida tuvo esa naturalidad para colocar cada cosa donde le corresponde? ¿Cuando se colecta, tiene algún sentido lo que sembramos?

En este crepúsculo de Amboise tan suave en que periclita mi vida me complace sobremanera la nieve, paso las horas muertas contemplando esos copos cayendo suavemente, cada uno en su sitio. Una paz preternatural me embarga al seguir el lento flotar de los copos como titubeando antes de encontrar su lugar, a donde van a posarse con tranquilidad. Así quiero yo el fin, que mis días, viajeros de la eternidad, se reposen lentamente cada uno en su sitio, impecablemente atraídos por la tierra en la que me convertiré para florecer en innumerables primaveras. ¿Dónde termino? ¿Dónde comencé? Imposible saberlo; mi respuesta es la tranquilidad de una vida bien gastada.

El presente es un instante pasajero, el pasado ya no es; y mi perspectiva de futuro es oscura y dudosa. He entrado en ese período de la vida considerado como el más agradable por algunos sabios. No sé qué decirte, he disfrutado y sufrido en todas mis edades, no veo por qué no vaya a ser lo mismo a partir de ahora; acaso con las fuerzas se vayan los deseos, pero me temo que no, pues la mente, madre de los deseos, no descansa nunca. Y yo quiero, por fin, descansar. Plinio asignaba la felicidad moral a la estación madura, en la cual se supone que las pasiones han calmado, los deberes se han cumplido, la ambición satisfecho, fama y fortuna establecido sólidamente. Me siento más inclinado a aceptar que a declinar esta confortable doctrina de la felicidad autumnal si no fuera por el incesante vigor de la imaginación, aun cuando ni mi brazo ni cualquier otro de mis miembros esté en condiciones de secundarla. No anticipo una decadencia prematura de mi mente o cuerpo, pero debo señalar con disgusto que dos causas: la abreviación del tiempo y el decaimiento de la esperanza, teñirán siempre con sombras oscuras el crepúsculo de la vida.

Desde las profundidades de cada ser brota el grito universal: ¡Que no cese de existir! ¡Que siga creciendo!

Cara a cara con la muerte, es éste el último deseo, incluso en los más sabios, y sin embargo ¿a qué este encono y empeño, por qué tendría que ser bueno en sí mismo seguir viviendo? ¿Y el precio? ¿Acaso deseamos vivir a cualquier precio? ¿Quién es el necio que, por vivir más años, se creerá beneficiado? Cada proceso tiene el momento idóneo para cerrarse: así la vida. Es como hervir un huevo: cuando está duro no añades nada manteniéndolo en el agua. El pensamiento es lo mismo: en un cierto momento hay que parar, de lo contrario confundes en vez de aclarar. El pensar, como hervir un huevo, debe pararse en un cierto momento. Y así la vida.

Me dijo Pico della Mirandola que los gimnosofistas de la India son capaces de separar el alma del cuerpo a voluntad —tras atinados y penosos ejercicios, por supuesto—, de modo que se mueren el día que deciden morirse. ¡Qué no diese yo por alcanzar esta maestría que me falta! Morirme a voluntad, perecer cuando yo quiera, la última obra maestra. Siento acercarse mi hora, pero no que tenga control sobre ella. «Todas hieren, la última mata», dice la leyenda en el reloj de sol, y no sabemos cuál de ellas será. Cuando leas esto habrá llegado y habrás comprobado cómo he sabido manejarla. No me espanta porque una muerte natural es más fácil, incluso, que el nacimiento: he visto morir algunos de los cuerpos que luego diseccioné; el corazón se detiene, el aliento cesa, parece que algo que tensaba el cuerpo por dentro se relaja y las carnes quedan blandas, lívidas, insulsas. *«Palida, rigida, nudula»*, llamaba el emperador Adriano a su pequeña alma errabunda hacia el Hades, su *«animu-*

la, vagula, blandula, hospes comesque corporis». Él había sido iniciado en los misterios de Eleusis y sabía de qué hablaba, yo no tuve esa suerte y lo que vislumbro del otro lado son meras intuiciones mías que no he osado contrastar con nadie —¿a quién importa la otra orilla?—, ni siquiera a los santos padres, que deberían ser los guías hacia el espíritu. Ellos consuelan, ungen y rezan a tu lado, y al fin cantan cuando te entierran, pero del otro lado no te explican nada porque no han estado. Los griegos lo sabían, quizás los primeros cristianos, pero los de ahora, de su campo, que es el espíritu, no saben nada, se limitan a contar leyendas sobre el cielo y nos pagan —como a Orcagna en Pisa— para pintar los horrores del infierno. Ignorantes teólogos que se quedan en las palabras, ¡qué contradicción tan absurda pretender entender con palabras a Dios o el espíritu, que son realidades más allá de las palabras! De lo inefable más vale no hablar a partir de cierto momento, y dejar que el alma, movida por la música, con el cuerpo aquietado por las hierbas, nos lleve hacia el espíritu. Para los sacerdotes egipcios, medicina, música y misterios eran uno y el mismo estudio. A mi manera lo he cultivado así y creo haber llegado a un estado de ánimo que quise expresar en la cara del Precursor y de mi madre.

¿Has considerado de dónde surgen ese deseo y esperanza tan humanos de repatriarse y retornar al caos primigenio? El hombre, que con continuo anhelo espera gozoso la nueva primavera, el próximo verano, siempre nuevos meses y años, pareciéndole que las cosas deseadas, viniendo, llegan siempre demasiado tarde, no se da cuenta de que desea su propia aniquilación. Los meses y los días son viajeros de la eternidad, pero la materia mortal es efímera porque lo compuesto se va a disgregar. No otra cosa es la muerte sino la descomposición de esa armonía de humores, tendones, tejidos y músculos que conforman el cuerpo viviente; abandonados del soplo vital, horros de un estado de ánimo —porque el alma los ha abandonado—, los miembros del cuerpo se disgregan, descomponen y pudren en la desolada frialdad inerme de la tumba. Tan sólo el alma los mantenía juntos.

Por el contrario, este deseo del que te hablaba está en aquella quintaesencia, espíritu de los elementos, la cual, encontrándose reclusa con el alma en el cuerpo humano, desea siempre retornar a sus mandatarios. Y quiero que sepas que este mismo deseo es aquella quintaesencia, compañera de la naturaleza, y el hombre es el modelo del mundo.

Pero es modelo a pesar suyo, sólo es un parangón cuando no desea ni entromete su egoísmo insaciable en los imparciales manejos de la naturaleza, indiferente a sus anhelos y obsesiones. La razón y sus deseos le harán cada vez más insatisfecho porque cree que pensando se impondrá al mundo y lo poseerá. ¡Míseros mortales, abrid los ojos!, no llaméis riqueza a lo que se puede perder, sólo la intangible energía interna de vuestro estado de ánimo, sólo las cicatrices abiertas en el alma por la experiencia permanecen y duran y se llevan consigo, imperecederas. Ése es vuestro verdadero bien y el único premio de su poseedor; eso no se puede perder, y sólo nos abandona con la vida. La propiedad y las riquezas siempre se tienen con temor, a menudo dejan burlado a su poseedor al perderlas. Y aquel hombre es de suma estupidez, el cual siempre desea por miedo a que le falte, y la vida se le escapa, arena entre los dedos, bajo la esperanza de disfrutar los bienes adquiridos con suma fatiga. No se puede tener mayor ni menor señorío que el de sí mismo, Francesco. Salvaje es el que se salva, y si tu libertad te es querida, no olvides nunca que mi rostro es la cárcel del amor.

La cara es el espejo del alma, ella es libre, la cara es su prisión de carne, condenada a descomponerse y decepcionar. El amor es el alado mensajero del alma que se eleva hacia todas las cosas sin poseerlas ni trastocarlas. ¿Serás capaz de amar así, como yo lo he intentado? No hay otra dicha posible en esta esfera de la carne que amar sin deseo, amar por amar, como los niños juegan inmersos en el desinteresado placer del momento.

La razón y el deseo nos arrastrarán hacia el titanismo prometeico que yo he colaborado a desarrollar. Veo venir un hombre insaciable y caprichoso, un niño mimado henchido de deseos, ahogado por ellos, enloquecido entre sus juguetes cada vez más poderosos. Ni la serena armonía de Rafael ni la energía titánica de Miguel Ángel hallarán resonancia en el inquietante y desasosegado hombre que veo llegar. Enervado, complejo, morboso, nada de lo realizado con arte hasta ahora será lo bastante matizado para abarcarlo, bastante sutil para penetrarlo, suficientemente extraño para describirlo.

¿Por qué la naturaleza ordenó que un animal tuviese que vivir a costa de la muerte del otro? La naturaleza, siendo ambigua, y tomando placer en el crear y deshacer continuas vidas y formas, porque conoce que son incrementos de su materia terrestre, es voluntariosa y más presta con su crear que el tiempo en el consumir; y así ha ordenado que muchos animales sean pasto de otros; por tanto, esta Tierra busca perder de su vida, deseando la continua multiplicación. Así como los efectos se parecen a sus causas, los animales son ejemplo de la vida del mundo.

Nutrimos nuestra vida con la muerte de otros. En la cosa muerta permanece vida insensible, la cual, reunida al estómago de los vivos, recupera vida sensitiva e intelectiva. El gusano se ceba en el cadáver; el hombre comete el error egoísta de asignar mayor importancia al cadáver que al gusano; la naturaleza, en cambio, no se pronuncia, favorece a ambos con imparcialidad; es el hombre en su pensamiento quien se inclina por sí mismo y maldice al gusano, alzando una queja que en la naturaleza no existe. Ella tiene un deseo de muerte tan generalizado y saludable como el deseo de vida, porque no podría crear si no pudiera destruir.

¡Oh durmiente!, ¿qué es el sueño? El sueño es semejante a la muerte. ¿Por qué no haces, por tanto, tales obras que, después de muerto, tú tengas presencia de viviente, en lugar de mientras vivo hacerte con el sueño semejante a los tristes muertos? Huye aquel estudio del cual la obra resultante muere con su autor. Adquiere cosas en tu juventud que restauren el daño de tu vejez, y si entiendes que la vejez tiene por alimento la sabiduría, obra de tal modo en la juventud que a la vejez no falte nutrimiento. La adquisición de cualquier conocimiento es siempre útil al intelecto, porque puede echar fuera de sí las cosas inútiles y conservar las buenas. Ninguna cosa se puede amar ni odiar si primero no se tiene conocimiento de ella. El amor nace del conocimiento. Como en día bien empleado da gusto dormir, tras una vida colmada da gusto morir.

ÍNDICE

Eros-Narciso 17
La Denuncia 51
Terribile e Soave 67
Salai 93
Ostinato Rigore 127
Mora il Moro! 155
César Borgia 189
Catalina-Lisa 221
Roma 249
Armonia Mundi 285